Capítulo Uno

▲▲

Versículo

Proverbios 17:17 En todo tiempo ama el amigo, y es como un hermano en tiempo de angustia.

1-1 ¡Bienvenidos a la Escuela! ▲▲▲▲▲▲▲▲▲▲▲▲▲▲▲▲▲▲▲▲▲▲▲▲

I. Diálogo

Follow along on page 2 of the textbook.

II. El presente: los verbos regulares -ar

Replace the italicized word or words in each sentence with the subject you hear. Then say the entire sentence, supplying the appropriate form of the verb.

> *You see: Sergio* trabaja en una oficina.
> *You hear:* mis hermanos
> *You say:* Mis hermanos trabajan en una oficina.
> *You hear the confirmation:* Mis hermanos trabajan en una oficina.

1. *Roberto* canta en el coro.
2. *Melodía* estudia español en México.
3. Todas las mañanas *tú* compras el periódico.
4. *Ustedes* miran la televisión los sábados.
5. *Yo* compro una Biblia nueva.
6. *Mis amigos* toman mucha leche.

III. Los adjetivos

An adjective is a descriptive word that modifies a noun or a pronoun. Adjectives must agree in gender and number with the nouns or pronouns they modify. Complete each phrase you hear with the correct form of the adjective given.

> *You hear:* la iglesia
> *You see:* nuevo
> *You say:* la iglesia nueva
> *You hear the confirmation:* la iglesia nueva

1. bueno
2. rojo
3. español
4. azul
5. interesante
6. viejo
7. feliz
8. amarillo
9. alemán
10. grande

IV. El verbo estar

Join the adjectives you see and the subjects you hear with the correct form of the verb estar *to make complete sentences. Be sure the adjectives agree in gender and number with the subjects they modify.*

You see: nervioso
You hear: Margarita
You say: Margarita está nerviosa.
You hear the confirmation: Margarita está nerviosa.

1. contento
2. de mal humor
3. enfermo

4. aburrido
5. cansado
6. enojado

SPANISH 2

Second Edition

ACTIVITIES MANUAL

bju press®

Greenville, South Carolina

Note:

The fact that materials produced by other publishers may be referred to in this volume does not constitute an endorsement of the content or theological position of materials produced by such publishers. Any references and ancillary materials are listed as an aid to the student or the teacher and in an attempt to maintain the accepted academic standards of the publishing industry.

SPANISH 2 Activities Manual
Second Edition

Coordinating Authors
Beulah E. Hager, MA
María Isabel Ruiz Bell, MEd
Kenneth G. Casillas, MA
Ivonne B. Gardner, MEd
Virginia R. Layman
Ma. Esther Luna Hernández

Project Manager
Richard Ayers

Project Editors
Déborah D. Garwood
W. Ivelisse Maldonado
Elizabeth McAchren

Design
Tim French

Composition
Agnieszka Augustyniak
Beata Augustyniak

Photograph Credits
Front Cover: Frame Detail, *Madonna and Child with St. Agnes and St. Barbara,* Unknown Burgundian, From the Bob Jones University Collection

Pasajes bíblicos tomados de la Biblia Reina-Valera Revisada © 1960 Sociedades Bíblicas en América Latina. © renovado 1988 Sociedades Bíblicas Unidas. Usado con permiso.

Contents

To the Student

Congratulations! You have already learned *mucho* Spanish and are ready to begin another great year studying about the Hispanic people and their beautiful language. Perhaps you have already found many opportunities to practice your Spanish with those you have met and worked with this past year.

This Activities Manual is designed to help you improve your oral and written communication skills. You will see many words in this manual that have not been introduced in the textbook. Don't let them stop you from continuing your work. Try to determine the definitions of unfamiliar words by their use in the passage. When time is limited, the dictionary can be your invaluable assistant.

Spanish is a unique subject, and it is immediately applicable to every situation of daily life. Apply what you learn in the classroom to all that you encounter outside of class. The more you practice, the more you retain. Hispanic people warmly appreciate a person who attempts to communicate with them in their own language. You have an open door. Will you use it for the Lord?

Acknowledgments

We wish to express gratitude and appreciation to all those who participated in the recording of our CD program: Carmen Álvarez, David Bell, María Isabel Bell, Dawn Bennett, Christopher Bixby, Matthew Bixby, Heidi Campbell, Kenneth Casillas, Kevin Casillas, Susan Chapman, Lisa Flower, Miguel Flower, Déborah Garwood, Teresa Glass, Edgar González, Claudia Hernández, Cathy Hozian, Miriam Lara, Wanda Maldonado, Alberto Márquez, Juan Marcos Martínez, Víctor Martínez, Vivian Medina, María Teresa Mirabal, Mahler Núñez, Marco Núñez, Rubén Núñez, Francina Playá, Carlos Muñoz of Radio Carve, Yadira Ramos, Yadín Rodríguez, Celedonio Romero, Elaine Mariel Ruiz, Cuauhtemoc Sierra, Stephen St. John, David Teruel, Julia Torres, Daniel Valcárcel, Martín Valcárcel, Pablo Valcárcel, David Vélez, Ilsa Wheeler, Jenna Fields Wright, Alberto Zermeño; and a very special thank-you to Corban Tabler and Matthew Steel, our recording engineers.

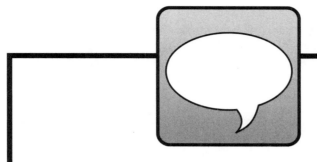

Oral CD

1-2 Haciendo Amigos ▲▲▲▲▲▲▲▲▲▲▲▲▲▲▲▲▲▲▲▲▲▲▲▲▲▲▲▲▲▲▲▲▲

I. Diálogo

Follow along on page 14 of the textbook.

II. Preguntas y respuestas

You will hear a short story twice. The first time, listen carefully. After listening the second time, answer the questions in complete sentences. You will hear the correct answer a few seconds after each question.

1. ¿Quién viaja a la ciudad de Linares?
2. ¿De dónde viaja Susana?
3. ¿Cómo viaja Susana? ¿por tren o por avión?
4. ¿Por qué viaja Susana por tren?
5. ¿Cuándo llega el tren a Linares?
6. ¿Qué hace Susana durante el viaje?

III. El presente de los verbos regulares -er / -ir

Complete each sentence with the correct form of the verb you hear.

You see: Pablo y Federico _____ en el restaurante García.
You hear: comer
You write and say: Pablo y Federico _____ en el restaurante García.
You hear the confirmation: Pablo y Federico comen en el restaurante García.

1. Los estudiantes _____ el vocabulario nuevo.
2. Nosotros _____ estudiar todos los días.
3. La familia García _____ en una casa pequeña.
4. Yo _____ en el Señor Jesucristo y soy salvo.
5. ¿Tú _____ la ventana de noche?
6. El profesor _____ el periódico.
7. Las chicas _____ cartas de sus amigos.
8. Paco le _____ cinco pesos a su padre.
9. Yo _____ sacar fotos cuando estoy con él.
10. Sara nunca _____ refrescos con cafeína.

IV. El verbo ser

A. *Use the subjects you hear to make complete statements with the verb* ser *and the cues you see.*

You hear: Roberto
You see: un hombre honesto
You say: Roberto es un hombre honesto.
You hear the confirmation: Roberto es un hombre honesto.

1. un profesor interesante
2. mi amiga
3. personas generosas
4. paciente
5. maleducados
6. una señorita guapa

B. *Choose the answer that best fits each question you hear.*

> *You hear:* ¿De qué es el suéter?
> *You see:*
>
> a. Es de Perú.
> b. Es de lana.
> c. Es de Margarita.
>
> *You say:* b. Es de lana.
> *You hear the confi mation:* b. Es de lana.

1. a. Es de oro.
   b. Es de Suiza.
   c. Es de mi padre.

2. a. Es muy guapo.
   b. Es artista.
   c. Es de Lima.

3. a. Es de madera.
   b. Es de Ramón.
   c. Es de España.

4. a. Es simpático.
   b. Es médico.
   c. Es alto.

5. a. Son de Canadá.
   b. Son misioneros.
   c. Son amables.

6. a. Soy estudiante.
   b. Soy inteligente.
   c. Soy de Uruguay.

7. a. Es de cuero.
   b. Es de mi hermano.
   c. Es nuevo.

8. a. Es de Alberto.
   b. Es de México.
   c. Es muy grande.

V. Ser vs. estar

Say permanente *if the sentence you hear describes a basic trait or permanent characteristic.* **Say** temporal *if the sentence describes a temporary condition.*

> *You hear:* El libro es grande.
> *You say:* permanente, because *es grande* describes a permanent characteristic of *el libro*
> *You hear the confirmation:* permanente
>
> *You hear:* Ana está triste.
> *You say:* temporal, because *está triste* is a temporary condition of *Ana*
> *You hear the confirmation:* temporal

1-3 Reunión Familiar ▲▲▲▲▲▲▲▲▲▲▲▲▲▲▲▲▲▲▲▲▲▲▲▲▲▲▲▲

I. Diálogo

Follow along on page 24 of the textbook.

II. Vocabulario

Listen to the description of each relationship. Look at the family tree and write the name of the person that fits each description.

> *You hear:* la hermana de Jorge
> *You write:* Rut
> *You hear the confirmation:* Rut

1. _____
2. _____
3. _____
4. _____
5. _____
6. _____
7. _____
8. _____
9. _____
10. _____

III. Adjetivos posesivos

Identify the possessive adjective or adjectives in each sentence you hear.

> *You hear:* Su padre trabaja en un hospital.
> *You say:* su
> *You hear the confirmation:* su

IV. El comparativo

A. *You will hear pairs of sentences describing two persons or things. Look at the comparative sentences below and circle the letter of the ones that are true.*

> *You hear:* El Sr. Negrón tiene cinco hijos. El Sr. Romero tiene tres hijos.
> *You see:*

a. El Sr. Negrón tiene más hijos que el Sr. Romero.	b. El Sr. Negrón tiene menos hijos que el Sr. Romero.

> *You circle:* the letter *a*
> *You hear the confirmation:* a. El Sr. Negrón tiene más hijos que el Sr. Romero.

1. a. Mario tiene más dinero que Pepe.

   b. Pepe tiene más dinero que Mario.

2. a. Ana tiene menos hermanos que Maritza.

   b. Maritza tiene menos hermanos que Ana.

3. a. El cuaderno de Paola es más grande que el cuaderno de Victoria.

   b. El cuaderno de Victoria es más grande que el cuaderno de Paola.

4. a. La nota de Manuel es mejor que la nota de Felipe.

   b. La nota de Manuel es peor que la nota de Felipe.

5. a. Carlos es menor que Carmen.

   b. Carlos es mayor que Carmen.

B. *You will hear a new subject and comparative word for each sentence you see. Make statements based on the cues you hear.*

> *You see:* Claudia canta bien.
> *You hear:* María / mejor
> *You say:* María canta mejor que Claudia.
> *You hear the confirmation:* María canta mejor que Claudia.

1. Sandra habla español.

2. Mis abuelos viajan poco.

3. Pedro escribe mal.

4. Carlota come mucho chocolate.

5. Los sábados Rafael estudia poco.

V. Lectura bíblica

Follow along on page 32 of the textbook.

Capítulo Dos

▲▲▲

Versículo

I Corintios 10:31 Si, pues, coméis o bebéis, o hacéis otra cosa, hacedlo todo para la gloria de Dios.

2-1 ¡A Comer! ▲▲▲

I. Diálogo

Follow along on page 34 of the textbook.

II. Vocabulario

Match the following illustrations with the corresponding vocabulary terms as you hear them.

III. El presente: los verbos con cambios e → ie

A. *Every member of the Rodríguez family likes to eat, but each has his or her own preferences. Use the phrases you see and the subjects you hear to describe the family in complete sentences.*

> *You see:* preferir huevos fritos
> *You hear:* Marcos
> *You say:* Marcos prefiere huevos fritos.
> *You hear the confirmation:* Marcos prefiere huevos fritos.

1. preferir café con leche

2. pensar que el pollo está bueno

3. querer comer hamburguesas

4. recomendar el arroz con leche

5. pensar que la Sra. Rodríguez es la mejor cocinera del mundo entero

B. *Replace the italicized word or words in each sentence with the subject you hear. Then say the entire sentence supplying the appropriate form of the verb.*

> *You see: El camarero cierra el restaurante.*
> *You hear:* yo
> *You say:* Yo cierro el restaurante.
> *You hear the confirmation:* Yo cierro el restaurante.

1. *Mi hermano* recomienda el plato del día.

2. *Yo* comienzo a comer a las ocho.

3. *Diana* no entiende al camarero.

4. *Los buenos estudiantes* confiesan que el examen es difícil.

5. *Nosotros* no perdemos mucho tiempo en el restaurante.

IV. El presente: los verbos -ir con cambios e → i

The Gómez family has guests coming for dinner. Explain what each family member is doing to prepare for the occasion by completing each sentence with the correct form of the verb you hear.

> *You see: La señora Gómez . . . la comida.*
> *You hear:* servir
> *You say:* La señora Gómez **sirve** la comida.
> *You hear the confirmation:* La señora Gómez **sirve** l comida.

1. Alicia . . . las instrucciones de su madre.

2. Marta . . . las instrucciones de Alicia.

3. Ramón y Andrés . . . permiso para ir a la tienda.

4. Ellos . . . los postres.

5. Los padres . . . cuando los hijos obedecen.

V. Los verbos ir y venir

A. *You will hear a subject for each destination you see. Form complete sentences by connecting each subject to his or her destination with the appropriate form of the verb* ir.

> *You hear:* Pablo
> *You see:* el campamento
> *You say:* Pablo va al campamento.
> *You hear the confirmation:* Pablo va al campamento.

1. el colegio

2. el campamento

3. el comedor

4. la cabaña

5. el restaurante

B. *You will hear a subject for each place of origin you see. Form complete sentences by connecting each subject to his or her place of origin with the appropriate form of the verb* **venir.**

> *You hear:* el señor Blanco
> *You see:* la capilla
> *You say:* El señor Blanco viene de la capilla.
> *You hear the confirmation:* El señor Blanco viene de la capilla.

1. la biblioteca
2. la iglesia
3. Guatemala

4. el trabajo
5. el supermercado

2-2 ¡A Jugar! ▲▲▲▲▲▲▲▲▲▲▲▲▲▲▲▲▲▲▲▲▲▲▲▲▲▲▲▲▲▲▲▲▲▲▲

I. Diálogo

Follow along on page 43 of the textbook.

II. Vocabulario

Look at the illustration of each sports activity. As you hear each vocabulary term, write the number of that term in the corresponding space on the illustration.

> *You see:* a baseball field with a batter and a blank next to him
> *You hear:* número cero, el bateador
> *You write:* 0 in the space next to the batter

A. El béisbol

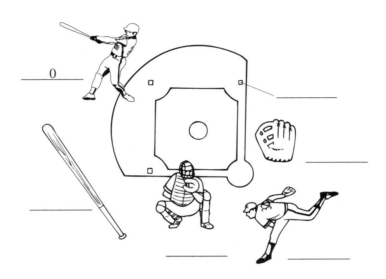

B. El baloncesto

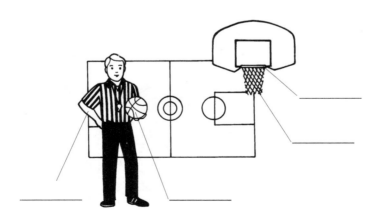

C. El voleibol

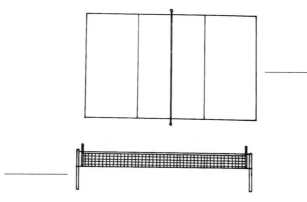

D. El fútbol

III. El presente: los verbos con cambios o → ue

Replace the italicized word or words in each sentence with the subject you hear. Then say the entire sentence, supplying the appropriate form of the verb.

> *You see: Miguel* duerme tarde los sábados.
> *You hear:* nosotros
> *You say:* Nosotros dormimos tarde los sábados.
> *You hear the confirmation:* Nosotros dormimos tarde los sábados.

1. *Yo* no encuentro el guante.

2. *Felipe y Daniel* vuelven a la cancha de voleibol.

3. *Nosotros* almorzamos en la cafetería.

4. *Andrés* puede jugar al baloncesto esta tarde.

5. *Tú* nunca recuerdas dónde está el bate.

6. *Nosotros* devolvemos la pelota al árbitro.

7. *Los jóvenes* juegan al fútbol en el parque.

8. *El balón* de baloncesto cuesta mucho.

IV. El imperativo

A. *Use the appropriate imperative form to tell the following people to do what they wish.*

You hear: El señor Vázquez quiere escuchar el partido en la radio.
You say: ¡Escuche el partido, Señor Vázquez!
You hear the confirmation: ¡Escuche el partido, Señor Vázquez!

You hear: Lisa, Ana, Susana y yo queremos entrar al estadio.
You say: ¡Entremos al estadio!
You hear the confirmation: ¡Entremos al estadio!

B. *Tell the following people* not *to do what they want to do.*

You hear: Juan quiere hablar durante la clase.
You say: ¡No hables, Juan!
You hear the confirmation: ¡No hables, Juan!

V. ¡Viva el fútbol!

Page 45 of your textbook tells you that "in Uruguay soccer is not a mere pastime; it is a passion which drives both the players and the general public." Listen to the following excerpt of a match played between *Nacional* and *Peñarol* in the *Estadio Centenario* in Montevideo. It will help you appreciate the way the Uruguayans live their game!

2-3 ¡A Cantar! ▲▲

I. Diálogo

Follow along on page 57 of the textbook.

II. Vocabulario

As you hear each sound that relates to a concert or theater, circle the letter of the word that describes that sound.

> *You hear:* [a violin]
> *You see:*
>
> a. la marimba
> b. el arpa
> c. el violín
>
> *You circle:* the letter *c*
> *You hear the confirmation:* c. el violín

1. a. los platillos
   b. el tambor
   c. la trompa

2. a. el director
   b. el músico
   c. el cantante

3. a. la zarzuela
   b. la comedia
   c. la tragedia

4. a. el arpa
   b. el violín
   c. el trombón

5. a. el actor
   b. la cantante
   c. el compositor

6. a. la marimba
   b. la flauta
   c. el violín

7. a. el contrabajo
   b. el villano
   c. el aplauso

8. a. la orquesta
   b. la banda
   c. el telón

9. a. la ópera
   b. el balcón
   c. la plataforma

10. a. la guitarra
    b. las castañuelas
    c. el saxofón

III. Los verbos saber y conocer

A. *Use the cue provided to answer each question you hear. Be careful to use the correct form of* saber *or* conocer.

> *You hear:* ¿Sabes tocar el saxofón?
> *You see:* sí
> *You say:* Sí, sé tocar el saxofón.
> *You hear the confirmation:* Sí, sé tocar el saxofón.

1. sí
2. no
3. no

4. sí
5. sí
6. no

B. *Decide whether each word or phrase you hear would follow* **saber** *or* **conocer.**

> *You hear:* Mario
> *You say:* conocer
> *You hear the confirmation:* conocer

IV. Los pronombres del objeto directo

A. *Listen carefully and name the direct object in each sentence. Each sentence will be repeated after the confirmation of the answer.*

> *You hear:* Raquel toca la guitarra muy bien.
> *You say:* la guitarra
> *You hear the confirmation:* la guitarra
> *You hear the sentence again:* Raquel toca la guitarra muy bien.

B. *Answer each question in the negative. Use the direct object pronoun.*

> *You hear:* ¿Conoce el himno Manuel?
> *You say:* No, no lo conoce.
> *You hear the confirmation:* No, no lo conoce.

V. Los verbos oír y caer

A. *Complete each sentence with the subject you hear and the appropriate form of the verb* **oír.**

> *You see:* la música de Beethoven
> *You hear:* él
> *You say:* Él oye la música de Beethoven.
> *You hear the confirmation:* Él oye la música de Beethoven.

1. el perro de mi vecino
2. un camión en la calle
3. los instrumentos
4. español en el laboratorio
5. los niños en el patio

B. *Complete each sentence with the subject you hear and the appropriate form of the verb* **caer.**

> *You see:* de la mesa
> *You hear:* los libros
> *You say:* Los libros caen de la mesa.
> *You hear the confirmation:* Los libros caen de la mesa.

1. del cielo
2. del árbol
3. en el cesto
4. en la cama cuando estás cansado(a)

VI. Lectura bíblica

Follow along on page 68 of the textbook.

Oral CD

Capítulo Tres

▲▲

Versículo

Mateo 6:33 Mas buscad primeramente el reino de Dios y su justicia, y todas estas cosas os serán añadidas.

3-1 Comprando un Traje Nuevo ▲▲▲▲▲▲▲▲▲▲▲▲▲▲▲▲▲▲▲▲▲▲▲

I. Diálogo

Follow along on page 72 of the textbook.

II. Vocabulario

Listen to the description of each article of clothing or piece of jewelry. Circle the letter of the vocabulary term that best fits each description.

You hear: Las damas lo usan cuando hace frío.
You see:

a. el vestido

b. el abrigo

c. el pañuelo

You circle: the letter *b*
You hear the confirmation: b. el abrigo

1. a. la bufanda
   b. los guantes
   c. la blusa

2. a. los calcetines
   b. los aretes de plata
   c. los pantalones cortos

3. a. el pañuelo
   b. el cinturón
   c. el abrigo

4. a. las sandalias
   b. los guantes
   c. los calcetines

5. a. el chaleco de cuadros
   b. la bufanda rayada
   c. el collar de perlas

6. a. la pulsera
   b. el reloj
   c. la camiseta

III. El verbo decir

Report what each speaker or group of speakers says.

> *You see:* «Queremos comprar zapatos.»
> *You hear:* Marta y Felipe
> *You say:* Marta y Felipe dicen que quieren comprar zapatos.
> *You hear the confirmation:* Marta y Felipe dicen que quieren comprar zapatos.

1. «La corbata del profesor es demasiado larga.»

2. «La chaqueta es elegante.»

3. «Los pantalones cuestan cuarenta dólares.»

4. «Voy a comprar la cadena de oro con la tarjeta de crédito.»

5. «Vamos a la tienda de ropa.»

IV. Los adjetivos y los pronombres demostrativos

Fill in the blanks with appropriate demonstrative pronouns.

> *You hear:* Pedro prefiere esa camisa verde.
> *You see:* Pedro prefiere _____.
> *You write:* Pedro prefiere _____.
> *You hear the confirmation:* Pedro prefiera ésa.

1. Juan quiere comprar _____.

2. Rubén está mirando _____.

3. Julia y Maritza están mirando _____.

4. Maritza prefiere _____.

5. Julia prefiere _____.

V. Dictado

Fill in the blanks below as you listen to the following paragraph.

Esta noche mis padres están vestidos muy _____. Van a un concierto. Mi

madre lleva _____ rojo de _____ y zapatos _____.

También tiene puesto _____ que le pertenece a mi abuela. Mi padre

_____ nunca ha visto a mi madre _____. Después de asistir al concierto,

piensan salir a comer un postre.

Now listen to the paragraph again as you check your answers.

VI. Nota cultural

Follow along on page 82 of the textbook.

3-2 Una Visita al Barbero ▲▲▲▲▲▲▲▲▲▲▲▲▲▲▲▲▲▲▲▲▲▲▲▲▲▲▲▲▲▲▲

I. Diálogo

Follow along on page 84 of the textbook.

II. Vocabulario

Listen carefully to the following statements. Circle the letter of the vocabulary term that best fits each statement.

> *You hear:* Paco necesita un corte de pelo.
> *You see:*
>
> a. el almacén
>
> b. la barbería
>
> c. la escuela
>
> *You circle:* the letter *b*
> *You hear the confirmation:* b. la barbería

1. a. las tijeras
   b. el secador de pelo
   c. el asiento

2. a. el cepillo
   b. la crema de afeitar
   c. las canas

3. a. el peine
   b. la navaja
   c. el estilo

4. a. el pelo liso
   b. el pelo corto
   c. el pelo castaño

5. a. las canas
   b. el pelo rizado
   c. el bigote

III. Los pronombres del objeto indirecto

A. *Margarita works in a beauty parlor where the clients love to chatter. Listen to their comments. Determine the indirect object pronoun used in each comment and write it in the space provided.*

> *You hear:* Rosita, ¿me puedes prestar el peine?
> *You write:* _____
> *You hear the confirmation:* me

1. Carolina, _____ voy a regalar este cepillo.

2. La señorita _____ va a cortar el pelo ahora.

3. El barbero _____ recomienda estas tijeras.

4. ¿Cuándo _____ vas a servir un café?

5. Tengo todo listo. _____ traigo el café ahora.

6. _____ voy a dar un estilo nuevo.

7. ¡No _____ cortes el pelo demasiado!

8. Señorita, _____ quiero pagar ahora.

B. *When a sentence contains an indirect object pronoun and an infinitive or present progressive construction, the pronoun can occur in either of two positions. It may precede the conjugated verb or be attached to the end of the infinitive or present participle. Listen for the indirect object pronoun in each sentence; then repeat the sentence using the alternate position for that pronoun. You will hear each sentence and each confirmation twice.*

> *You hear:* El barbero le va a regalar un champú a Pedro.
> El barbero le va a regalar un champú a Pedro.
> *You say:* El barbero va a regalarle un champú a Pedro.
> *You hear the confirmation:* El barbero va a regalarle un champú a Pedro.
> El barbero va a regalarle un champú a Pedro.

IV. Los pronombres objetivos múltiples

A. *Answer each question affirmatively using both direct and indirect object pronouns. Remember that if both pronouns begin with l, you must change the indirect object pronoun to* **se.**

> *You hear:* ¿Le paga al barbero los doce dólares?
> *You say:* Sí, se los pago.
> *You hear the confirmation:* Sí, se los pago.

B. *Answer the following questions affirmatively. Attach the object pronoun to the end of the infinitive or participle.*

> *You hear:* ¿Le vas a enviar la carta a Maritza?
> *You say:* Sí, voy a enviársela.
> *You hear the confirmation:* Sí, voy a enviársela.

V. Verbos como gustar

Make complete sentences using the phrases you see and the verbs you hear.

> *You see:* el barbero / cortar pelo
> *You hear:* gustar
> *You say:* Al barbero le gusta cortar pelo.
> *You hear the confirmation:* Al barbero le gusta cortar pelo.

1. la profesora de español / viajar

2. las chicas / los chicos

3. Pablo y Héctor / la música clásica

4. Daniel / sus notas

5. Rosana / el estilo de su pelo

6. los estudiantes de español / la cultura hispana

3-3 Un Día Típico en el Campo Misionero ▲▲▲▲▲▲▲▲▲▲▲▲

I. Lectura

Follow along on page 96 of the textbook.

II. Los verbos reflexivos

A. *Make complete sentences using the phrases you see and the subjects you hear. Be careful to use the correct reflexive verbs and pronouns.*

> *You see:* acostarse tarde los sábados
> *You hear:* Pedro y Juan
> *You say:* Pedro y Juan se acuestan tarde los sábados.
> *You hear the confirmation:* Pedro y Juan se acuestan tarde los sábados.

1. lavarse el pelo todos los días

2. ponerse un abrigo cuando hace frío

3. levantarse rápidamente cuando tener que trabajar

4. quitarse los zapatos cada vez que entrar en la casa

5. dormirse temprano cuando tener que ir a la escuela

6. vestirse de rojo y verde para las fiestas de Navidad

7. peinarse cada vez que mirarse en el espejo

8. bañarse y después secarse con una toalla

9. lavarse las manos y cepillarse los dientes

10. acostarse a las nueve cuando tener mucho sueño

B. *Listen for the verbs you should use to complete the following sentences. Be sure to use the reflexive form if necessary.*

> *You see:* El señor Rodríguez _____ a las diez y media.
> *You hear:* acostar
> *You write:* El señor Rodríguez _____ a las diez y media.
> *You hear the confirmation:* El señor Rodríguez se acuesta a las diez y media.

1. Mis hermanos _____ los dientes después de comer.

2. Rosana siempre _____ a su hermanita antes de ir a la escuela.

3. Carlos _____ el auto de su padre los sábados.

4. Cuando hace calor, yo _____ tres veces al día.

5. Yo nunca _____ en la clase de español. ¿Y tú?

C. *Listen to the following descriptions. Circle the letter of the verb that best fits each situation.*

> *You hear:* Paquito tiene un balón y está jugando en el parque.
> *You see:*
>
> a. enfermarse
>
> b. preocuparse
>
> c. divertirse
>
> *You circle:* the letter *c*
> *You hear the confirmation:* c. divertirse

1. a. mejorarse
   b. enfermarse
   c. levantarse

2. a. dormirse
   b. marcharse
   c. alegrarse

3. a. preocuparse
   b. irse
   c. calmarse

4. a. irse
   b. enamorarse
   c. enfermarse

5. a. aburrirse
   b. comprometerse
   c. quedarse

III. Dictado

Fill in the blanks below as you listen to the following paragraph.

Los señores Bell _____ hace quince años. Ahora sirven al Señor en España. El Sr. Bell _____ temprano cada mañana para leer _____. Entonces _____ para la iglesia para preparar el mensaje del domingo. La Sra. Bell _____ en casa para enseñar a los niños. Los sábados por la tarde, la Sra. Bell tiene _____ con las damas de la iglesia. Cada fin de semana los señores Bell salen _____ en el barrio. Los jóvenes de la iglesia _____ con el Sr. Bell para orar y repartir tratados dos veces por semana. _____ mucho de visitar a _____ Bell.

Now listen to the paragraph again as you check your answers.

Capítulo Cuatro

▲▲

Versículo

Proverbios 22:1 De más estima es el buen nombre que las muchas riquezas, y la buena fama más que la plata y el oro.

4-1 Una Llamada Telefónica ▲▲▲▲▲▲▲▲▲▲▲▲▲▲▲▲▲▲▲▲▲▲▲▲▲▲

I. Diálogo

Follow along on page 104 of the textbook.

II. Los días de la semana

You will hear a time-related adverb corresponding to each day of the week you see. Write the day to which each adverb refers.

> *You see:* el martes
> *You hear:* ayer
> *You write:* el lunes
> *You hear the confirmation:* el lunes

1. el jueves _____

2. el lunes _____

3. el viernes _____

4. el martes _____

5. el domingo _____

6. el miércoles _____

III. Los números ordinales

You will hear questions about the seating arrangement of a Spanish classroom. Answer in complete sentences according to the seating chart below.

> *You hear:* ¿En qué asiento de la primera fila está Ramón?
> *You look at the chart and say:* Ramón está en el cuarto asiento de la primera fila.
> *You hear the confirmation:* Ramón está en el cuarto asiento de la primera fila.

	ASIENTO 1	ASIENTO 2	ASIENTO 3	ASIENTO 4	ASIENTO 5
1	Esteban	Alberto	**Marisela**	**Ramón**	Estela
2	Miguel	Mateo	**Fernando**	María	**Tomás**
3	Eduardo	**Carmen**	Claudia	**Rafael**	Julia
4	Tabita	Lisa	Lupita	Marta	**Luis**
5	**Mario**	Daniel	Rosario	**Pepe**	David

IV. Palabras indefinidas

Answer the questions you hear using the appropriate negative indefinite words.

You hear: ¿Tienes algo en la boca?
You say: No, no tengo nada en la boca.
You hear the confirmation: No, no tengo nada en la boca.

V. Dictado

Fill in the blanks below as you listen to the following dialogue.

La señora Ramírez _____ el teléfono y _____ un número.

Srta. Alonzo: Buenos días. _____ la señorita Alonzo. ¿En qué puedo

_____?

Sra. Ramírez: ¿_____ con la señorita Robles, por favor?

Srta. Alonzo: _____. La señorita Robles no está en la oficina

_____. ¿Quiere dejarle _____?

Sra. Ramírez: Sí, _____. Dígale que llame a la señora Ramírez. Ella

tiene mi _____ de teléfono. Muchas gracias.

Srta. Alonzo: De nada. Le daré su mensaje a la señorita Robles. Hasta luego.

Sra. Ramírez: Hasta luego, señorita.

Now listen to the dialogue again as you check your answers.

4-2 Una Cuenta de Ahorros ▲▲▲▲▲▲▲▲▲▲▲▲▲▲▲▲▲▲▲▲▲▲▲▲▲▲▲▲

I. Diálogo

Follow along on page 112 of the textbook.

II. El verbo traer

Answer each question you hear using the subject you see and the correct form of the verb traer.

You hear: ¿Quién trae tres mil dólares para depositar en el banco?

You see: el Sr. Pérez

You say: El Sr. Pérez trae tres mil dólares para depositar en el banco.

You hear the confirmation: El Sr. Pérez trae tres mil dólares para depositar en el banco.

1. tú
2. nosotros
3. yo
4. ustedes
5. Felipe y Rosa
6. la cajera

III. Verbos como escoger

Complete each sentence with the correct form of the verb you hear.

You see: Yo _____ el banco que da los mejores servicios.

You hear: escoger

You write and say: Yo _____ el banco que da los mejores servicios.

You hear the confirmation: Yo escojo el banco que da los mejores servicios.

1. El señor Morales _____ a los clientes al cajero apropiado.

2. Mi padre siempre _____ su tarjeta de crédito.

3. Yo _____ los cheques para llevarlos al banco.

4. Los clientes _____ el servicio que quieren.

5. Nosotros _____ el dinero a las seis de la tarde.

IV. Los números

You will hear a number spoken twice. In the first blank, write the numeral you hear. In the second one, spell the word.

You hear: veinticinco

You write: the numeral 25

You hear the number again: veinticinco

You write: _____

1. _____

   _____

2. _____

   _____

3. _____

   _____

4. _____

   _____

5. _____

   _____

6. _____

   _____

7. _____

   _____

8. _____

   _____

9. _____

   _____

10. _____

    _____

V. Lectura bíblica

Follow along on page 119 of the textbook.

4-3 El Hotel ▲▲

I. Diálogo

Follow along on page 121 of the textbook.

II. Vocabulario

A. *Look at the following illustration of a hotel suite. You will hear three choices for each numbered item. Next to each item, write the letter of the choice that best fits that item.*

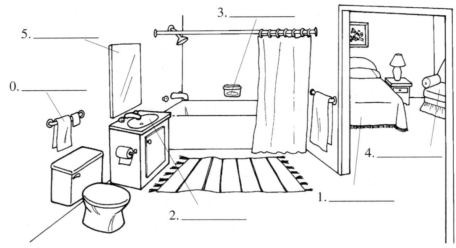

You see: a towel
You hear: número cero

a. el baño

b. la toalla

c. el jabón

You write: the letter *b* next to the towel
You hear the confirmation: b. la toalla

B. *Look at the illustration again. This time pairs of items will be named. Circle the letter of the preposition that best explains the relationship between the items.*

You see:

a. sobre

b. detrás de

c. al lado e

You hear: la cobija y la cama
You circle: the letter *a*
You hear the confirmation: a. sobre

1. a. encima de
   b. al lado de
   c. detrás de

2. a. debajo de
   b. al lado de
   c. encima de

3. a. en medio de
    b. junto a
    c. sobre

4. a. debajo de
    b. encima de
    c. delante de

5. a. encima de
    b. debajo de
    c. delante de

III. Verbo + preposición + infinitivo

Complete the following sentences by supplying the correct form of each verb you hear. Be sure to include the corresponding prepositions.

You see: Ramón _____ viajar a Costa Rica en mayo.
You hear: ir
You say: Ramón va a viajar a Costa Rica en mayo.
You hear the confirmation: Ramón va a viajar a Costa Rica en mayo.

1. Ramón . . . ver un volcán.

2. Él . . . encontrar libros acerca de los volcanes.

3. Sus padres . . . saber los planes de su hijo.

4. Ramón me . . . viajar con él a Costa Rica.

5. Yo no . . . aceptar su invitación.

6. Ramón me . . . hablar con mis padres acerca del viaje.

7. Yo me . . . tener a Ramón como amigo.

IV. Dictado

Fill in the blanks below as you listen to the following paragraph.

¡_____ viajar a Nicaragua algún día! _____ quedarme en _____ de primera clase. _____ va a tener una ventana hacia el mar. _____ va a ser grande y va a tener _____ suaves. Va a haber un _____ cómodo y _____ elegantes en _____. ¡Voy a _____ hacer mis planes de viaje hoy mismo!

Now listen to the paragraph again as you check your answers.

V. Nota cultural

Follow along on page 129 of the textbook.

VI. Poesía

Follow along on page 130 of the textbook.

Capítulo Cinco

▲▲▲

Versículo

Juan 14:6 Jesús le dijo: Yo soy el camino, y la verdad, y la vida; nadie viene al Padre, sino por mí.

5-1 Problemas Automovilísticos ▲▲▲▲▲▲▲▲▲▲▲▲▲▲▲▲▲▲▲▲▲▲

I. Diálogo

Follow along on page 132 of the textbook.

II. Vocabulario

You will hear descriptions of automobile parts. Listen carefully to each description and circle the letter of the best answer.

> *You hear:* Lo levanto para ver el motor.
> *You see:*
>
> a. el radiador
>
> b. el capó
>
> c. el faro
>
> *You circle:* the letter *b*
> *You hear the confirmation:* b. el capó

1. a. la rueda de repuesto
   b. el espejo retrovisor
   c. el intermitente

2. a. el parachoques
   b. el maletero
   c. el capó

3. a. el cinturón de seguridad
   b. el espejo retrovisor
   c. el limpiaparabrisas

4. a. el acelerador
   b. el depósito de gasolina
   c. el asiento delantero

5. a. el cinturón de seguridad
   b. el freno
   c. el limpiaparabrisas

III. El pretérito: Los verbos regulares -ar

Roberto tells what various members of his family did this past weekend. Repeat each sentence, supplying the correct form of the verb Roberto gives you.

> *You see:* Pedro _____ su bicicleta.
> *You hear:* arreglar
> *You write and say:* Pedro _____ su biciclet .
> *You hear the confirmation:* Pedro arregló su bicicleta.

1. Mi hermana Sonia _____ con su amiga por teléfono.

2. Mis hermanos José y Francisco _____ para sus exámenes.

3. Mis padres _____ a comprar regalos para la Navidad.

4. Yo _____ el juego de tenis.

5. Nosotros _____ en el nuevo restaurante el domingo.

IV. El pretérito: los verbos -car, -gar y -zar

You will be asked several questions about past activities. Answer each question in the affirmative.

> *You hear:* ¿Jugaste al tenis ayer?
> *You see:* Sí, _____ al tenis ayer.
> *You write and say:* Sí, _____ al tenis ayer.
> *You hear the confirmation:* Sí, jugué al tenis ayer.

1. Sí, _____ fotos de mi automóvil nuevo.

2. Sí, le _____ la llanta al mecánico.

3. Sí, _____ la reparación de los frenos.

4. Sí, _____ las llaves del automóvil.

5. Sí, _____ a tiempo a mi casa.

6. Sí, le _____ al taxista.

V. Lectura bíblica

Follow along on page 139 of the textbook.

5-2 En la Estación de Ferrocarril ▲▲▲▲▲▲▲▲▲▲▲▲▲▲▲▲▲▲▲▲▲

I. Diálogo

Follow along on page 141 of the textbook.

II. Vocabulario

Circle the letter of the phrase that best completes each statement you hear.

> *You hear:* Maritza va a viajar a Barcelona. Necesita un tren . . .
> *You see:*
>
> a. procedente de Barcelona.
>
> b. con destino a Barcelona.
>
> c. en la estación de Barcelona.
>
> *You circle:* the letter *b*
> *You hear the confirmation:* b. con destino a Barcelona.

1. a. al andén número 5.

    b. a la cabina de primera clase.

    c. al conductor.

2. a. con destino a Salamanca.

    b. con destino a Córdoba.

    c. procedente de Córdoba.

3. a. bajar del tren.

    b. subir al tren.

    c. parar en la estación de ferrocarril.

4. a. el aeropuerto.

    b. la estación de autobús.

    c. la estación de ferrocarril.

5. a. sus maletas.

    b. su pasaje.

    c. su cabina.

III. El pretérito: los verbos regulares -er / -ir

A. *You will hear statements made in the present tense. Repeat each one changing the verb to the preterite tense.*

> *You hear:* El tren sale de Madrid.
> *You say:* El tren salió de Madrid.
> *You hear the confirmation:* El tren salió de Madrid.

B. *Answer the following questions according to the cues provided. Replace any direct objects with the corresponding direct object pronouns.*

> *You hear:* ¿Quién abrió la ventana?
> *You see:* Rafael / abrir
> *You say:* Rafael la abrió.
> *You hear the confirmation:* Rafael la abrió.

1. yo / beber

2. nosotros / recibir

3. Rolando / comer

4. yo / nacer

5. mi hermana y yo / vivir

IV. El pretérito: los verbos dar y ver

You will hear statements made in the present tense. Change each verb to the preterite tense and the subject to the one given.

You hear: Rafael le da su asiento a una señora.
You see: yo
You say: Yo le di mi asiento a una señora.
You hear the confirmation: Yo le di mi asiento a una señora.

1. tú
2. yo
3. sus padres

4. Pedro
5. los chicos
6. nosotros

V. Dictado

Fill in the blanks below as you listen to the following paragraph.

La familia Rodríguez _____ a Granada _____. Compraron

_____ de primera clase. _____ al tren a las nueve de la noche y

_____ de Madrid _____. No hicieron _____

_____. Durante _____, los señores Rodríguez les _____

cuentos a sus hijos. También descansaron un poco. Había muchas personas esperando

_____ del tren _____ Madrid. Entró por _____.

De repente los niños _____ a sus abuelos y corrieron para abrazarlos.

Now listen to the paragraph again as you check your answers.

VI. Nota cultural

Follow along on page 149 of the textbook.

5-3 Un Viaje en Avión ▲▲▲▲▲▲▲▲▲▲▲▲▲▲▲▲▲▲▲▲▲▲▲▲▲▲▲▲▲

I. Diálogo

Follow along on page 151 of the textbook.

II. Vocabulario

Mario can hardly wait to tell you about his latest trip overseas! Listen to each sentence and then write its number beside the corresponding picture.

You see: Mario picking up his passport at the post office

You hear: Número cero. Necesité un pasaporte para viajar al extranjero.

You write: 0 in the space provided

_____ 0 _____

III. El pretérito: más verbos irregulares

A. *A youth group took a mission trip to Puerto Rico last week. You will hear one or several names. Use the cues given to tell what the young people did.*

You hear: los jóvenes
You see: _____ (estar) en un avión por cuatro horas.
You write and say: _____ en un avión por cuatro horas.
You hear the confirmation: Los jóvenes estuvieron en un avión por cuatro horas.

1. _____ (poder) darle un tratado a la azafata.

2. _____ (andar) por todo el aeropuerto.

3. _____ (venir) a buscarnos.

4. _____ (poner) las maletas en el autobús.

5. _____ (salir) para la iglesia.

6. _____ (hacer) una comida deliciosa.

7. _____ (tener) un buen servicio esa noche.

B. *Complete each sentence with the correct preterite form of the verb you hear.*

You hear: hacer
You see: Los profesores _____ planes para llevar a los estudiantes al museo.
You write and say: Los profesores _____ planes para llevar a los estudiantes al museo.
You hear the confirmation: Los profesores hicieron planes para llevar a los estudiantes al museo.

1. Tú _____ los arreglos para el viaje.

2. Juan Méndez _____ a mi casa durante las vacaciones.

3. Él _____ venir el año pasado pero no le dieron una visa.

4. Los Fernández _____ desde Madrid en un avión 747.

5. El avión _____ escala en Atlanta.

6. Yo _____ acompañarlos pero no fue posible.

IV. El pretérito: los verbos como decir

Circle the letter of the sentence you hear. Listen carefully for the tense of the verb. You will hear each sentence twice.

You hear: Mariana dijo que su padre tradujo la carta.
You see:

   a. Mariana dice que su padre tradujo la carta.

   b. Mariana dijo que su padre tradujo la carta.

   c. Mariana dijo que su padre traduce la carta.

You hear the sentence again: Mariana dijo que su padre tradujo la carta.
You circle: the letter *b*
You hear the confirmation: b. Mariana dijo que su padre tradujo la carta.

1. a. Ellos condujeron con cuidado porque trajeron manzanas en la caja.
   b. Ellos conducen con cuidado porque traen manzanas en la caja.
   c. Ellos condujeron con cuidado porque traen manzanas en la caja.

2. a. Mi amigo me dice que yo conduzco el BMW a los conciertos.
   b. Mi amigo me dijo que yo conduje el BMW a los conciertos.
   c. Mi amigo me dijo que yo conduzco el BMW a los conciertos.

3. a. Se dijo que redujeron el precio de la gasolina.
   b. Se dice que reducen el precio de la gasolina.
   c. Se dice que redujeron el precio de la gasolina.

4. a. Pablo trae el permiso y hoy traduce los formularios para la embajada.
   b. Pablo trajo el permiso y hoy tradujo los formularios para la embajada.
   c. Pablo trajo el permiso y hoy traduce los formularios para la embajada.

5. a. La profesora dice que el examen no es difícil.
   b. La profesora dijo que el examen no fue difícil.
   c. La profesora dijo que el examen no es difícil.

V. Lectura bíblica

Follow along on page 158 of the textbook.

Capítulo Seis

▲▲

Versículo

Efesios 6:11 Vestíos de toda la armadura de Dios, para que podáis estar firmes contra las asechanzas del diablo.

6-1 Independencia para Latinoamérica ▲▲▲▲▲▲▲▲▲▲▲▲▲▲

I. Lectura

Follow along on pages 160-61 of the textbook.

II. Hacer + que con el pretérito

Answer the following questions according to the cues provided. When possible, use direct object pronouns in your answers.

You hear: ¿Cuánto tiempo hace que Cuba ganó su independencia?
You see: más de cien años
You answer: Hace más de cien años que la ganó.
You hear the confirmation: Hace más de cien años que la ganó.

1. más de doscientos años
2. más de cuarenta años
3. más de dos mil años
4. _____ años
5. siete meses
6. muchos años

III. El imperfecto: los verbos regulares -ar

You will hear a paragraph twice. After listening the second time, you will hear several questions about the paragraph. Choose the answers from the options you see and say them aloud. You will hear the correct answer a few seconds after each question.

Cuestionario

1. a. Luchaba contra Francia.
   b. Luchaba contra España.
   c. Luchaba contra Venezuela.

2. a. Cantaba de su país.
   b. Luchaba contra su país.
   c. Amaba su país.

3. a. Cantaba y tocaba la guitarra.
   b. Lloraba por España.
   c. Luchaba por España.

4. a. Estaba alegre y enérgico.
   b. Estaba aburrido y frustrado.
   c. Estaba cansado y triste.

IV. El imperfecto: los verbos regulares -er / -ir

The members of the Spanish Club were busy last weekend while their teacher was preparing their next exam. Combine the cues provided to tell what they were doing. Be sure to use the imperfect tense of each verb.

> *You see:* escribir un artículo para el periódico escolar
> *You hear:* Ramón
> *You say:* Ramón escribía un artículo para el periódico escolar.
> *You hear the confirmation:* Ramón escribía un artículo para el periódico escolar.

1. leer las revistas que llegaron de España

2. comer en el restaurante favorito del club de español

3. repartir los periódicos para el club de español

4. asistir a un programa en el auditorio

5. dormirse en la biblioteca

6. pedir permiso para ver un partido de fútbol en español

V. Poesía

Follow along on page 167 of the textbook.

6-2 José Martí, Patriota Cubano ▲▲▲▲▲▲▲▲▲▲▲▲▲▲▲▲▲▲▲▲▲▲

I. Lectura

Follow along on page 169 of the textbook.

II. El imperfecto de ser, ir y ver

Combine the cues provided to form complete sentences. Be sure to use the imperfect tense of each verb.

> *You see:* ser un patriota cubano
> *You hear:* José Martí
> *You say:* José Martí era un patriota cubano.
> *You hear the confirmation:* José Martí era un patriota cubano.

1. ir a Cuba cada verano

2. ver el poder de Fidel Castro

3. ver la bandera cubana en la plaza todos los días

4. ser un dictador persuasivo

5. ir a escuchar al dictador

6. ser niños cuando Fidel Castro subió al poder

III. El imperfecto: acción en progreso

Change the present tense verb to the imperfect tense and tell what each person did over a period of time in the past.

> *You see:* Rolando regresa a Colombia en el verano.
> *You say:* Rolando regresaba a Colombia en el verano.
> *You hear the confirmation:* Rolando regresaba a Colombia en el verano.

1. Todos los generales van a la guerra.

2. Bolívar convence al gobierno de Venezuela a quedarse en la unión.

3. El coronel regresa a la oficina del presidente.

4. Los generales leen muchos libros acerca de la guerra.

5. El mejor gobierno gana la victoria.

6. Los países de Sudamérica no se unen.

IV. El imperfecto progresivo

You will hear a paragraph twice. After listening the second time, you will hear several questions about the paragraph. Choose the answers from the options you see and say them aloud. You will hear the correct answer a few seconds after each question.

Cuestionario

1. a. El tío estaba viviendo en Cuba.
   b. El tío estaba viviendo en Rusia.

2. a. Los líderes de Rusia estaban pensando que los Estados Unidos iba a atacar su isla.
   b. Los líderes de Cuba estaban pensando que los Estados Unidos iba a atacar su isla.

3. a. Rusia estaba enviando al Presidente Kennedy al ejército cubano.
   b. Rusia estaba enviando armas nucleares al ejército cubano.

4. a. El Presidente Kennedy estaba demandando la eliminación de las armas.
   b. El tío estaba demandando la eliminación de las armas.

5. a. El tío y su familia estaban esperando una guerra nuclear.
   b. El tío y su familia estaban esperando las fiestas de Navidad.

6-3 Una Hacienda en México ▲▲▲▲▲▲▲▲▲▲▲▲▲▲▲▲▲▲▲▲▲▲▲▲▲▲▲▲

I. Diálogo

Follow along on pages 177-78 of the textbook.

II. El uso del imperfecto: el estado mental o emocional en el pasado

Complete the following statements with either the preterite or the imperfect tense, whichever is more appropriate.

> *You see:* Roberto _____ que la vida en una hacienda era interesante.
> *You hear:* pensar
> *You write and say:* Roberto _____ que la vida en una hacienda era interesante.
> *You hear the confirmation:* Roberto pensaba que la vida en una hacienda era interesante.

1. Roberto _____ visitar una hacienda en México.

2. Roberto _____ que había muchos caballos en las haciendas.

3. Nosotros no _____ lo que era la reforma agraria.

4. Un día don Pepe _____ enseñarnos toda su propiedad.

5. Aquel día yo _____ que don Pepe amaba su hacienda.

6. Los amigos de don Pepe _____ que él nunca iba a descansar.

III. Resumen de los usos del pretérito y el imperfecto

Indicate whether the verbs you hear in the following sentences are in the preterite or the imperfect tense.

> *You hear:* Ramón visitó las pirámides el verano pasado.
> *You say:* pretérito
> *You hear the confirmation:* pretérito

> *You hear:* Cuando niño, Ramón visitaba las pirámides todos los veranos.
> *You say:* imperfecto
> *You hear the confirmation:* imperfecto

IV. Nota histórica

Follow along on page 185 of the textbook.

Capítulo Siete

▲▲▲

Versículo

Isaías 53:6 Todos nosotros nos descarriamos como ovejas, cada cual se apartó por su camino; mas Jehová cargó en él el pecado de todos nosotros.

7-1 Los Músicos de Bremen ▲▲▲▲▲▲▲▲▲▲▲▲▲▲▲▲▲▲▲▲▲▲▲▲▲▲▲

I. Lectura

Follow along on page 188 of the textbook.

II. Vocabulario

As you hear each animal or insect sound, circle the letter of the animal or insect which makes that sound.

> *You hear:* [a dog barking]
> *You see:*
>
> a. el caballo
>
> b. el perro
>
> c. la vaca
>
> *You circle:* the letter *b*
> *You hear the confirmation:* b. el perro

1. a. el gato
   b. el ratón
   c. el perro

2. a. el burro
   b. el cerdo
   c. la vaca

3. a. la cucaracha
   b. la mariposa
   c. el mosquito

4. a. la oveja
   b. el cerdo
   c. la vaca

5. a. el caballo
   b. el buey
   c. la cabra

6. a. el pavo
   b. la oveja
   c. el loro

7. a. el conejo
   b. el gallo
   c. la gallina

8. a. el pavo
   b. el canario
   c. el loro

9. a. la gallina
   b. el ratón
   c. el buey

10. a. el pez
    b. el pavo
    c. la cabra

III. Había vs. hubo

Antonio is telling his family about his recent trip to Madrid. Begin each of his statements with either había *or* hubo *as appropriate.*

You see: muchos coches pequeños en las calles
You say: Había muchos coches pequeños en las calles.
You hear the confirmation: Había muchos coches pequeños en las calles.

1. edificios muy grandes
2. un accidente cuando salimos del aeropuerto
3. flores de muchos colores en los parques
4. gente de todo el mundo en la ciudad
5. mal tiempo con truenos y relámpagos

IV. Los participios pasados regulares

You will hear Daniel describing his visit to his uncle's farm. Fill in the blanks with the past participles you hear.

Ayer mi hermano y yo estábamos _____ y fuimos _____ de mi tío Miguel. Cuando llegamos _____, mi tío estaba _____ en el balcón con su _____. La puerta de la casa estaba _____, y podíamos ver varios _____ en la sala.

—«¿Dónde están _____?» le pregunté a mi tío.

—«_____ están _____ debajo de la casa. ¡Vamos a ver a _____ _____!»

Mi tío me llevó por cada parte de _____. En el establo _____ estaban _____. ¡Yo estaba muy _____ cuando visitamos a _____! _____ en el campo estaban muy _____ con su comida. ¡Y creo que _____ estaban _____ de mí! Cuando terminamos nuestra recorrida, mi hermano y yo estábamos _____, pero ya no estábamos _____.

Now listen to the paragraph again as you check your answers.

V. Lectura bíblica

Follow along on page 193 of the textbook.

7-2 Platero ▲▲

I. Lectura

Follow along on page 195 of the textbook.

II. El pronombre impersonal se

A. *Restate the sentences you hear using the impersonal pronoun* se.

> *You hear:* En Panamá la gente habla español.
> *You say:* En Panamá se habla español.
> *You hear the confirmation:* En Panamá se habla español.

B. *Use the impersonal pronoun* se *to tell how the following advertisements might read if they were found in the classified ads of the newspaper.*

> *You hear:* La compañía Atlántida alquila automóviles.
> *You say:* Se alquilan automóviles.
> *You hear the confirmation:* Se alquilan automóviles.

III. Los adjetivos posesivos enfáticos

The students in the Spanish class are making plans to travel to Uruguay during vacation. They are deciding what each one is going to take. Use stressed possessive adjectives to make complete sentences with the names you see and the items you hear.

> *You see:* Esteban
> *You hear:* los tratados
> *You say:* Esteban lleva los tratados suyos.
> *You hear the confirmation:* Esteban lleva los tratados suyos.

1. Tomás
2. todos
3. Benjamín
4. nosotras

5. yo
6. ellas
7. tú
8. nosotros

IV. Los pronombes posesivos

Marcos and Jorge are having a friendly discussion about their families. As you listen, fill in the blanks with the possessive pronouns you hear.

Marcos: _____ familia es interesante. ¿Cómo es la _____?

Jorge: La _____ es muy interesante.

Marcos: En _____ casa hay tres animales: un gato y dos perros.

Jorge: ¿Ah sí? Pues en la _____ hay seis: un gato, un perro y cuatro culebras.

Marcos: Todos _____ hermanos van al parque zoológico cada mes.

Jorge: ¿Ah sí? Pues todos los _____ van cada semana—y juegan con los elefantes.

Marcos: _____ tía tiene un mono. _____ mono sabe tirar una pelota de baloncesto.

Jorge: ¿Ah sí? _____ tía tiene un mono también. El _____ sabe manejar un automóvil.

Marcos: _____ abuelo vio un hipopótamo durante un viaje a África.

Jorge: ¿Ah sí? Pues el _____ fue atacado por un león.

Marcos: Jorge, me parece que _____ familia es más interesante que la

_____.

Jorge: Pues tal vez, Marcos. ¡Pero la _____ no es tan peligrosa!

Now listen to the dialogue again as you check your answers.

7-3 Alegría ▲▲▲▲▲▲▲▲▲▲▲▲▲▲▲▲▲▲▲▲▲▲▲▲▲▲▲▲▲▲▲▲▲

I. Lectura

Follow along on page 204 of the textbook.

II. Vocabulario

As you hear the name of each element of God's creation, put its number next to the corresponding illustration.

III. Los pronombres demostrativos neutros

Use the cues provided to comment on the statements you hear. Be sure to include eso, esto, *or* aquello *as appropriate.*

> *You hear:* Ricardo acaba de ganar el primer premio en el concurso.
> *You see:* fantástico
> *You say:* ¡Eso es fantástico!
> *You hear the confirmation:* ¡Eso es fantástico!

1. una barbaridad
2. mentira

3. horrible
4. increíble

IV. Lo + adjetivo

Combine the elements provided to form complete sentences using the neuter lo *plus an adjective.*

> *You see:* Dios terminó la Creación en sólo una semana.
> *You hear:* lo maravilloso
> *You say:* Lo maravilloso es que Dios terminó la Creación en sólo una semana.
> *You hear the confirmation:* Lo maravilloso es que Dios terminó la Creación en sólo una semana.

1. Dios creó todo con sólo su palabra.

2. Dios creó la luz antes que el sol.

3. Toda la Creación era buena.

4. Adán estaba solo sin Eva.

5. Adán y Eva desobedecieron a Dios.

6. Dios los perdonó.

7. Dios envió a Cristo para morir por nuestros pecados.

V. Lectura adicional

Follow along on page 208 of the textbook.

Capítulo Ocho

▲▲

Versículo

Efesios 2:5 Aun estando nosotros muertos en pecados, nos dio vida juntamente con Cristo (por gracia sois salvos).

8-1 Una visita al médico ▲▲▲▲▲▲▲▲▲▲▲▲▲▲▲▲▲▲▲▲▲▲▲▲▲▲▲▲▲▲

I. Diálogo

Follow along on page 210 of the textbook.

II. Vocabulario

You will hear a number of sounds. Choose the vocabulary word which best corresponds to each sound.

> *You hear:* [coughing]
> *You see:*
>
> a. desmayarse
>
> b. toser
>
> c. estornudar
>
> *You circle:* the letter *b*
> *You hear the confirmation:* b. toser

1. a. el intestino
   b. la rodilla
   c. el corazón

2. a. la tráquea
   b. el hígado
   c. la sangre

3. a. el cerebro
   b. el estómago
   c. la espalda

4. a. los huesos
   b. los músculos
   c. los pulmones

5. a. los labios
   b. los pulmones
   c. las costillas

6. a. el corazón
   b. el estómago
   c. los labios

7. a. estornudar
   b. desmayarse
   c. toser

III. El presente perfecto

A. *You and your best friend work at the same restaurant, but you work an earlier shift. Every time he tells you he is going to do something today, use the present perfect tense to tell him that you have already done it.*

> *You hear:* Voy a hablar con el supervisor hoy.
> *You say:* Yo ya he hablado con el supervisor hoy.
> *You hear the confirmation:* Yo ya he hablado con el supervisor hoy.

B. *Dr. Zeta is questioning Rodrigo, one of his teenage patients, about his current health status. Using the cues provided, play the role of Rodrigo and answer each question in the present perfect tense.*

> *You hear:* ¿Cuánto caminas cada día?
> *You see:* hoy / dos kilómetros
> *You say:* Hoy he caminado dos kilómetros.
> *You hear the confirmation:* Hoy he caminado dos kilómetros.

1. esta semana / no . . . fiebre

2. esta mañana / nada

3. esta semana / nadar todos los días

4. sí, este año / ya

5. sí, desde anoche

C. *Listen carefully as Sandra describes her husband Roberto's physical condition. You will hear the paragraph twice. After listening the second time, you will hear several questions about the paragraph. Choose the answers from the options you see and say them aloud. You will hear the correct answer a few seconds after each question.*

Cuestionario

1. a. Le ha dolido la rodilla.
   b. Le ha dolido la cabeza.
   c. Le ha dolido el estómago.

2. a. Le ha tomado la tensión arterial.
   b. Le ha tomado el pelo.
   c. Le ha tomado la temperatura.

3. a. No ha comido nada hoy.
   b. Ha comido un caballo hoy.
   c. Ha comido un helado hoy.

4. a. Se ha desmayado mucho.
   b. Ha ido mucho al doctor.
   c. Ha estornudado y tosido mucho.

5. a. Roberto no ha querido ir al médico porque no tiene dinero.
   b. Roberto no ha querido ir al médico porque no tiene tiempo.
   c. Roberto no ha querido ir al médico porque es un hombre típico.

8-2 La farmacia nueva ▲▲▲▲▲▲▲▲▲▲▲▲▲▲▲▲▲▲▲▲▲▲▲▲▲▲

I. Diálogo

Follow along on page 217 of the textbook.

II. Vocabulario

As you hear each word, write its number beside the corresponding illustration.

> *You hear:* número cero, las cápsulas
> *You see:* medicine capsules
> *You write:* 0 next to the appropriate illustration

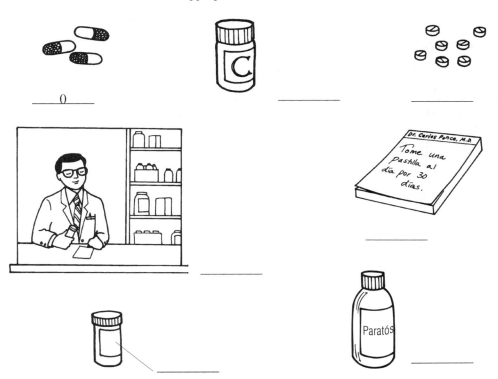

III. Participios pasados irregulares

A. *Your best friend has just gotten back from a Christian youth retreat. When he tells you about the things he is going to do to serve the Lord, encourage him by telling him that you have already done those things.*

> *You hear:* ¡Voy a decirles a mis amigos que Dios es amor!
> *You say:* ¡Yo ya les he dicho a mis amigos que Dios es amor!
> *You hear the confirmation:* ¡Yo ya les he dicho a mis amigos que Dios es amor!

B. *You will hear a sentence two times. Change the verb in each sentence to the present perfect tense.*

> *You hear:* Yo escribo una receta.
>   Yo escribo una receta.
> *You say:* Yo he escrito una receta.
> *You hear the confirmation:* Yo he escrito una receta.

C. *As you listen to Samuel tell about his broken arm, fill in the blanks with the past participles you hear.*

¡Qué dolor! Se me _____ el brazo izquierdo una vez más. _____ al doctor por la tercera vez este año. Las mismas enfermeras de siempre me _____ _____. Casi no _____ la historia de lo que me _____. Mis padres _____ que no debo jugar en los árboles. El doctor me _____ que ellos tienen razón. Sin embargo, _____ más a mis amigos y _____ _____ que aprender una lección difícil.

Now listen to the paragraph again as you check your answers.

IV. Más expresiones de tiempo

Listen carefully as Mirta Vázquez talks to Dr. Ponce on the phone. You will hear the dialogue twice. After listening the second time, you will hear several questions about the dialogue. Choose the answers from the options you see and say them aloud. You will hear the correct answer a few seconds after each question.

Cuestionario

1. a. No está estudiando.
   b. No está tosiendo.
   c. No está comiendo.

2. a. Todavía tiene fiebre.
   b. Todavía tiene sueño.
   c. Todavía tiene diecisiete años.

3. a. Le ha dado muchos regalos de Navidad a su hijo.
   b. Le ha dado la medicina a su hijo.
   c. Le ha dado una paliza a su hijo.

4. a. Una persona enferma jamás debe salir de su casa.
   b. Una persona enferma jamás debe cantar fuerte.
   c. Una persona enferma jamás debe comer mucho.

5. a. Pronto va a tener un gran dolor de estómago.
   b. Pronto va a tener una cita con el doctor.
   c. Pronto va a tener una calentura fuerte.

8-3 ¡Pobre Juan! ▲▲▲▲▲▲▲▲▲▲▲▲▲▲▲▲▲▲▲▲▲▲▲▲▲▲▲▲▲▲▲▲▲▲▲▲

I. Diálogo

Follow along on page 223 of the textbook.

II. Vocabulario

Identify each illustration by writing the letter of the word or phrase that best describes it. You will hear the confirmation of each answer.

You see:

 c

You hear:

a. rebasar
b. el cinturón de seguridad
c. el accidente

You write: the letter *c* next to the picture
You hear the confirmation: c. el accidente

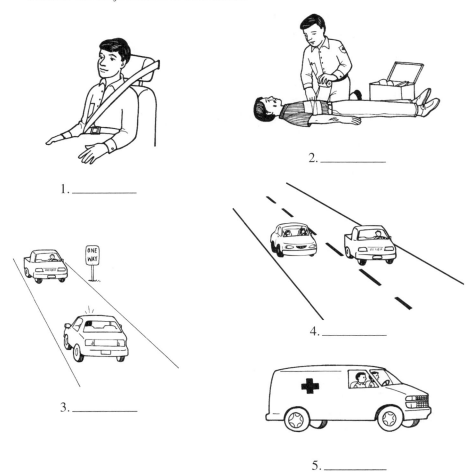

1. _____

2. _____

3. _____

4. _____

5. _____

III. El pluscuamperfecto

Listen carefully as Luis tells a story about his brother Jorge. You will hear the paragraph twice. After listening the second time, you will hear several questions about the paragraph. Choose the answers from the options you see and say them aloud. You will hear the correct answer a few seconds after each question.

Cuestionario

1. a. Había salido a las ocho y media de la noche.
   b. Había salido a las ocho y media de la mañana.
   c. Había salido a las dieciocho horas.

2. a. Se había abrochado el cinturón de seguridad.
   b. Se había comido un postre.
   c. Había revisado el freno de mano.

3. a. No lo había lavado.
   b. No lo había pintado.
   c. No le había echado gasolina.

4. a. El auto todavía estaba vacío.
   b. El auto todavía no arrancaba.
   c. El auto todavía no hacía ruido.

5. a. Vio que era de color verde.
   b. Vio que estaba caliente.
   c. Vio que se había descompuesto.

6. a. Les dijo que había tenido problemas mecánicos.
   b. Les dijo que iba al parque en bicicleta.
   c. Les dijo que sus padres no estaban contentos con él.

IV. Lectura bíblica

Follow along on page 228 of the textbook.

Oral CD

Capítulo Nueve

▲▲

Versículo

Apocalipsis 1:19 Escribe las cosas que has visto, y las que son, y las que han de ser después de éstas.

9-1 Sueños ▲▲

I. Diálogo

Follow along on page 230 of the textbook.

II. El futuro: las formas regulares

A. *Change the verb in each sentence according to the new subject given.*

> *You see:* Tomás estudiará en una escuela de aviación.
> *You hear:* nosotros
> *You say:* Nosotros estudiaremos en una escuela de aviación.
> *You hear the confirmation:* Nosotros estudiaremos en una escuela de aviación.

1. Marianela trabajará en la oficina del presidente.

2. Rosana viajará a España en mayo.

3. Los Pérez visitarán las ruinas de los incas en el verano.

4. Mis amigos llegarán el próximo viernes.

5. Mi familia irá a Miami en autobús.

6. Pedro correrá en los juegos olímpicos.

7. Rafael le pedirá permiso a su padre.

8. Marcos será un buen piloto.

B. *You will hear Elena talking about her family's vacation plans. Fill in the blanks with the future tense verbs you hear.*

Este verano mi familia _____ a España. _____ las ciudades de Madrid, Barcelona, Toledo, Sevilla y Granada. _____ por los sectores históricos de las ciudades. _____ muchas fotos de los alcázares. Yo _____ bastante acerca de la cultura española. ¡También _____ muchas comidas típicas! En Barcelona mi padre _____ el catalán. Mis hermanos les _____ muchas cartas postales a sus novias, y mi madre _____ muchos recuerdos para sus amigas. ¡Todos lo _____ muy bien!

Now listen to the paragraph again as you check your answers.

III. El futuro: las formas irregulares

Change the conjugated verb in each of the following sentences to the future tense.

> *You hear:* Pablo quiere comer un taco.
> *You say:* Pablo querrá comer un taco.
> *You hear the confirmation:* Pablo querrá comer un taco.

IV. El futuro: para indicar probabilidad

Marcos and Roberto are starting a new school year tomorrow! Roberto has many questions about the days ahead. Using the cues provided, play the part of Marcos and answer Roberto's questions as to what will probably happen.

> *You hear:* ¿Qué cursos tomaremos?
> *You see:* cursos de literatura, álgebra, biología, historia mundial, español y Biblia
> *You say:* Tomaremos cursos de literatura, álgebra, biología, historia mundial, español y Biblia.
> *You hear the confirmation:* Tomaremos cursos de literatura, álgebra, biología, historia mundial, español y Biblia.

1. la señorita Torres

2. las obras de Juan Ramón Jiménez

3. los Tornados

4. el descubrimiento del Nuevo Mundo

5. a las tres y media

6. bistec todos los días

V. Poesía

Follow along on page 238 of the textbook.

9-2 Una carta al rector ▲▲▲▲▲▲▲▲▲▲▲▲▲▲▲▲▲▲▲▲▲▲▲▲▲▲▲▲▲▲▲▲▲

I. Lectura

Follow along on page 240 of the textbook.

II. El condicional

A. *You will hear several students discussing their college plans. Using the subjects provided and the conditional tense, report what each student said.*

> *You see:* Rafael
> *You hear:* Buscaré información acerca de la universidad.
> *You say:* Rafael dijo que buscaría información acerca de la universidad.
> *You hear the confirmation:* Rafael dijo que buscaría información acerca de la universidad.

1. Felipe
2. Margarita
3. Patricia
4. Fernando

5. Ana
6. Diana
7. Alberto

B. *Listen carefully as Marcos tells what he would do if he were a missionary. You will hear the paragraph twice. After listening the second time, you will hear several questions about the paragraph. Choose the answers from the options you see and say them aloud. You will hear the correct answer a few seconds after each question.*

Cuestionario

1. a. Caminaría diez kilómetros cada día.
   b. Visitaría a los prisioneros en la capital.
   c. Predicaría la palabra de Dios.

2. a. Aprendería a jugar al fútbol.
   b. Aprendería la cultura del país.
   c. Aprendería los dialectos indios.

3. a. Trataría de evangelizar.
   b. Trataría de hablar en alemán.
   c. Trataría de caminar con los niños.

4. a. Trabajaría mucho con el Club de Leones.
   b. Trabajaría mucho con los niños de la escuela primaria.
   c. Trabajaría mucho con los jóvenes.

5. a. Irían a un campamento cristiano en las montañas.
   b. Caminarían por todo el mundo.
   c. Estudiarían la Biblia y orarían juntos.

6. a. Viviría cerca de la ciudad.
   b. Viviría en el campo.
   c. Viviría en una casa con puertas y ventanas.

7. a. Buscarían las ovejas perdidas.
   b. Buscarían oportunidades para testificar a sus vecinos.
   c. Buscarían perlas en el Caribe.

C. *Blanca is working in a school office in Latin America. Using the cues provided, play Blanca's role by using the conditional tense to make her requests as courteous as possible.*

> *You see:* Pásame el lápiz, por favor.
> *You hear:* Rosa María
> *You say:* Rosa María, ¿me podrías pasar el lápiz, por favor?
> *You hear the confirmation:* Rosa María, ¿me podrías pasar el lápiz, por favor?

1. ¿Puede usted completar este formulario, por favor?

2. ¿Puedes almorzar conmigo hoy?

3. Saca una copia para mí también, por favor.

4. ¿Me puedes traer una carta de tus padres mañana?

5. Debes explicarle el problema a tu supervisora.

III. Dictado

Several people were absent from Spanish class yesterday. Rafael and his friends are discussing why they might have been absent. Fill in the blanks as you listen to their conversation.

Rafael: ¿Por qué _____ ausentes tantos estudiantes?

Diana: Pues, Margarita _____ al campo para visitar a su abuela enferma.

José: Y Wanda _____ que ir al doctor.

Diana: ¡Ramón _____ que era día de examen y se _____ en casa!

Rafael: David y Luis _____ al baloncesto.

José: Marcos _____ con el director de la escuela. ¡Ya sabes que tiene que ir a su oficina casi todos los días!

Diana: Tal vez Sylvia y Raquel _____ de estudiar para el examen.

José: Débora no _____ salir del salón de química. Es muy estudiosa.

Rafael: ¡Y nuestra profesora _____ que no _____ tantos estudiantes y se _____ en cama!

Now listen to the conversation again as you check your answers.

9-3 ¿Qué hacemos con el tiempo? ▲▲▲▲▲▲▲▲▲▲▲▲▲▲▲▲▲▲▲▲

I. Lectura

Follow along on page 246 of the textbook.

II. El futuro perfecto

A. *Use the cues provided to complete each sentence with a future perfect verb.*

You see: Fernando / irse a jugar al tenis
You hear: antes de las ocho
You say: Antes de las ocho, Fernando se habrá ido a jugar al tenis.
You hear the confirmation: Antes de las ocho, Fernando se habrá ido a jugar al tenis.

1. mi hermana / preparar el almuerzo

2. mi padre / limpiar el patio

3. mis amigos / llegar a nuestra casa

4. nosotros / estudiar para el examen

5. tú / lavar el carro

6. yo / ver mi programa favorito de televisión

B. *Listen carefully as Mónica tells what she, her family, and her friends will have done by her wedding day. You will hear the paragraph twice. After listening the second time, you will hear several questions about the paragraph. Choose the answers from the options you see and say them aloud. You will hear the correct answer a few seconds after each question.*

Cuestionario

1. a. Habrá encontrado un anillo de compromiso.
   b. Habrá encontrado un novio.
   c. Habrá encontrado una iglesia para la boda.

2. a. Habrán hecho muchos viajes en barco y en avión.
   b. Habrán orado mucho acerca del matrimonio.
   c. Habrán hecho muchas entrevistas.

3. a. Se habrán ido de viaje a Uruguay.
   b. Se habrán divertido en el partido de fútbol.
   c. Se habrán reído bastante de ella.

4. a. Habrán planeado cada detalle de la boda.
   b. Habrán festejado el Año Nuevo.
   c. Habrán ido a comer en restaurantes mexicanos.

5. a. Habrá hecho muchas fiestas para su hija.
   b. Habrá gastado todo su dinero.
   c. Habrá escrito un comentario editorial en el periódico.

6. a. Van a comer pastel de bodas.
   b. Mónica y su novio habrán llegado a uno de los días más importantes de sus vidas.
   c. La casa estará más tranquila sin Mónica.

III. El futuro perfecto: para indicar probabilidad

It is the year 2020. Felipe is thinking about the classmates he had in Spanish class and wondering what they have done so far in life. Use the cues provided to complete Felipe's statements about each one.

You see: estudiar medicina
You hear: Ramón
You say: Ramón habrá estudiado medicina.
You hear the confirmation: Ramón habrá estudiado medicina.

1. leer la novela española *Don Quijote*

2. casarse

3. ir a vivir en México

4. viajar por todo el mundo

5. escribir un libro de gramática

6. ir a Guatemala como misionero

IV. Lectura bíblica

Follow along on page 252 of the textbook.

Oral CD

Capítulo Diez

▲▲
Versículo

Juan 4:34 Jesús les dijo: Mi comida es que haga la voluntad del que me envió, y que acabe su obra.

10-1 Una receta para flan▲▲▲▲▲▲▲▲▲▲▲▲▲▲▲▲▲▲▲▲▲▲▲▲▲▲▲▲

I. Lectura

Follow along on page 254 of the textbook.

II. El imperativo: formas afirmativas de Ud. y Uds.

Sr. Franco, a business associate of Luis Núñez's father, is over at the Núñez home for supper. Sr. Franco is a very polite gentleman who is always looking for opportunities to help others. Play the role of Luis by using the formal imperative form to tell Sr. Franco he may do the things he wishes to do to help.

You hear: ¿Puedo leer el libro de recetas, Luis?
You say: Sí, por favor, lea el libro de recetas.
You hear the confirmation: Sí, por favor, lea el libro de recetas.

III. El imperativo: la forma tú afirmativa

A. *María likes to help her mother in the kitchen. Using the cues provided, express what María's mother tells her to do.*

You see: las claras de los huevos
You hear: batir
You say: Bate las claras de los huevos, María.
You hear the confirmation: Bate las claras de los huevos, María.

1. los huevos a la mezcla
2. la olla en la estufa
3. la mantequilla
4. la leche en la olla
5. el azúcar, los huevos y la sal
6. los vegetales por quince minutos

B. *Rafael likes to tell his younger brother Paquito what to do. As you listen to the two boys talk, fill in the blanks with the imperative verbs you hear.*

Rafael: Paquito, _____ mi cuarto. . . . ¡Te doy un helado!

Paquito: Está bien. ¿Qué hago con estos libros?

Rafael: _____ los libros en el escritorio. Y también _____ aquellos papeles.

Paquito: ¿Qué hago con estos zapatos?

Rafael: _____ los zapatos en el armario. Y _____ esta toalla al baño.

Paquito: ¿Qué quieres que haga con esta sábana?

Rafael: Pues, _____ la sábana sobre la cama.

Paquito: ¿Dónde pongo estos juguetes?

Rafael: _____ los juguetes debajo de la cama.

Paquito: Rafael, ya terminé de limpiar el cuarto.

Rafael: ¡Ah, qué bien! El helado está en la nevera. Ahora _____ y _____ el auto de papá.

Paquito: Rafael, _____ otro sirviente. ¡Yo voy a jugar con mis amigos!

Now listen to the dialogue again as you check your answers.

IV. Lectura bíblica

Follow along on page 260 of the textbook.

10-2 Las Direcciones ▲▲▲▲▲▲▲▲▲▲▲▲▲▲▲▲▲▲▲▲▲▲▲▲▲▲▲▲▲▲▲▲

I. Diálogo

Follow along on page 262 of the textbook.

II. Vocabulario

Circle the letter of the place that best tells where you might buy each of the items you hear.

> *You see:*
>
> a. la librería
>
> b. la frutería
>
> c. la ferretería
>
> *You hear:* limones
> *You circle:* the letter *b*
> *You hear the confirmation:* b. la frutería

1. a. la relojería
   b. la librería
   c. la pescadería

2. a. la panadería
   b. la pescadería
   c. la charcutería

3. a. la joyería
   b. la relojería
   c. la juguetería

4. a. la frutería
   b. la pastelería
   c. la verdulería

5. a. la lechería
   b. la panadería
   c. la carnicería

6. a. la ferretería
   b. la zapatería
   c. la juguetería

III. El imperativo: las formas negativas

Change the affirmative commands you hear to negative commands. Be careful to use the same form—familiar or formal—in the negative as is used in the affirmative.

> *You hear:* ¡Habla fuerte!
> *You say:* No hables fuerte.
> *You hear the confirmation:* No hables fuerte.

IV. El imperativo: la posición de los pronombres

A. *Señorita Ramos is giving instructions to her students. Replace each direct object you hear with the appropriate direct object pronoun.*

> *You hear:* Recoge lo libros, Marcos.
> *You say:* Recógelos, Marcos.
> *You hear the confirmation:* Recógelos, Marcos.

B. *Luisito is always asking his mother if he should do certain things. As you listen to them talk, fill in the blanks with the appropriate verbs and pronouns.*

Luisito: Mamá, ¿como estos vegetales?

Mamá: Sí, _____ esos vegetales.

Luisito: Mamá, ¿tiro este vaso al piso?

Mamá: ¡No! _____ al piso.

Luisito: Mamá, ¿me cepillo los dientes?

Mamá: Sí, _____ los dientes—y hazlo bien.

Luisito: Mamá, ¿limpio mi cuarto?

Mamá: Sí, por supuesto, Luisito. _____ tu cuarto.

Luisito: Mamá, ¿hago mis tareas?

Mamá: Sí, _____ ahora mismo.

Luisito: Mamá, ¿me pongo la camisa de papá?

Mamá: No, Luisito, _____ la camisa de papá.

Luisito: Mamá, ¿le doy una hamburguesa al perro?

Mamá: No, Luisito, _____ una hamburguesa al perro.

Luisito: Mamá, ¿salgo a jugar con mis amigos?

Mamá: Ay, sí, por favor. ¡_____ con tus amigos!

Now listen to the dialogue again as you check your answers.

10-3 Las Especialidades ▲▲▲▲▲▲▲▲▲▲▲▲▲▲▲▲▲▲▲▲▲▲▲▲▲▲

I. Diálogo

Follow along on page 268 of the textbook.

II. El modo subjuntivo

A. *Complete each sentence you see with the corresponding subjunctive form of the verb you hear.*

> *You see:* Mario quiere que Antonio _____ en su equipo.
> *You hear:* jugar
> *You write and say:* Mario quiere que Antonio _____ en su equipo.
> *You hear the confirmation:* Mario quiere que Antonio juegue en su equipo.

1. La profesora quiere que los estudiantes _____ español en la clase.

2. La profesora sugiere que nosotros _____ paella valenciana.

3. Mis padres se oponen a que yo _____ a España en el verano.

4. No quieren que tú _____ de tu país.

5. Espero que el presidente _____ una lista de las responsibilidades de cada miembro del gobierno.

6. Le voy a pedir al mesero que me _____ gazpacho andaluz.

7. Prefiero que usted _____ antes de venir.

8. Margarita quiere que nosotros _____ en su casa antes de las ocho.

B. *You and your fellow workers have a very demanding boss. Using the cues provided, report what he wants each person to do.*

> *You see:* Roberto
> *You hear:* escribir cien cartas
> *You say:* El jefe quiere que Roberto escriba cien cartas.
> *You hear the confirmation:* El jefe quiere que Roberto escriba cien cartas.

1. el Señor Teruel
2. Débora
3. Raúl
4. la secretaria

5. los comerciantes
6. Manuel
7. la secretaria

III. Dictado

Fill in the blanks below as you listen to the following paragraph.

Los señores Cortés dicen que _____ de paseo al mercado internacional en Miami este verano. _____ gente de todas partes del mundo allí. ¡_____ nadie _____ inglés! _____ oiremos español, francés y varios dialectos indios. _____ hayan especialidades culinarias de todas partes del mundo. Puede que _____ unos tacos mexicanos y también unos nacatamales nicaragüenses. Los señores Cortés _____ jugo de mango y café al estilo cubano. También _____ el mate uruguayo. Por fin, _____ de un helado de piña muy refrescante. Yo insistiré en que _____ unos dulces del Caribe. ¡_____ tanto que a la hora de partir casi no _____ caminar!

Now listen to the paragraph again as you check your answers.

Capítulo Once

▲▲▲

Versículo

Colosenses 4:3 Orando también al mismo tiempo por nosotros, para que el Señor nos abra puerta para la palabra, a fin de dar a conocer el misterio de Cristo.

11-1 La oración ▲▲

I. Lectura bíblica

Follow along on page 280 of the textbook.

II. El presente del subjuntivo: los verbos irregulares

Complete each sentence with the correct subjunctive form of the verb you hear.

> *You see:* Paco quiere estudiar medicina, pero su padre prefiere que _____ arquitecto.
> *You hear:* ser
> *You write and say:* Paco quiere estudiar medicina, pero su padre prefiere que _____ arquitecto.
> *You hear the confirmation:* Paco quiere estudiar medicina, pero su padre prefiere que sea arquitecto.

1. La profesora quiere que tú _____ que vamos a tener un examen.

2. El director del drama quiere que todos los jóvenes _____ a tiempo.

3. Carlos quiere que Margarita le _____ su respuesta ahora.

4. El pastor quiere que los jóvenes _____ al campamento.

5. Espero que el hombre alto y rubio _____ mi nuevo maestro.

6. Mi padre quiere que Miguel y yo le _____ las llaves del auto.

III. El subjuntivo: con expresiones de emoción

Make complete sentences using the phrases you see and the cues you hear.

> *You see:* Pedro lamenta que Mario . . .
> *You hear:* no ir al museo mañana
> *You say:* Pedro lamenta que Mario no vaya al museo mañana.
> *You hear the confirmation:* Pedro lamenta que Mario no vaya al museo mañana.

1. Siento que Rafael . . .

2. A Rosita le gusta que sus amigas . . .

3. Tememos que los estudiantes . . .

4. Me alegro de que usted . . .

5. Ana se queja de que su amigo de Barcelona . . .

6. Los estudiantes se alegran de que las clases . . .

7. Roberto tiene miedo de que la profesora . . .

IV. Dictado

It is Sunday morning, and Pastor Rivera is welcoming people as they walk into church. Fill in the blanks below as you listen to the dialogue.

Pastor: Buenos días, Ramón. _____ verte aquí.

Ramón: Gracias, pastor. _____ nuestro número especial

le _____ de bendición.

Pastor: Seguro que sí, Ramón. . . .

Bienvenida. Yo soy el Pastor Rivera. ¿Cómo se llama?

Sra. Martínez: Me llamo Raquel Martínez. Estoy de visita con la señora Ortiz.

Pastor: ¡Cuánto me alegro de que _____ venido! _____

_____ disfrute la reunión.

Sra. Martínez: Muchas gracias.

Pastor: Buenos días, hermano Morales. _____ su esposa

todavía _____ enferma. ¿Cómo está esta mañana?

Sr. Morales: Pues está bastante mejor. Esperamos que _____ venir a la

reunión esta noche.

Pastor: ¡Qué bendición! Oraré que _____ muy pronto.

Rosita: Hola, pastor.

Pastor: ¡Hola, Rosita! ¿Qué aprendiste hoy en la escuela dominical?

Rosita: Aprendimos que Dios creó el mundo en seis días.

Pastor: ¡Maravilloso, Rosita! Me alegro mucho que _____

más de la Biblia.

Now listen to the dialogue again as you check your answers.

11-2 Un testimonio ▲▲▲▲▲▲▲▲▲▲▲▲▲▲▲▲▲▲▲▲▲▲▲▲▲▲▲▲▲▲▲▲▲▲▲

I. Lectura

Follow along on page 286 of the textbook.

II. El subjuntivo vs. el infinitivo

Complete each sentence using the cues provided. You must decide if the sentence requires an infinitive or a subjunctive construction.

> *You see:* Mi amigo teme . . .
> *You hear:* hablar con las chicas
> *You say:* Mi amigo teme hablar con las chicas.
> *You hear the confirmation:* Mi amigo teme hablar con las chicas.

> *You see:* Mi amigo teme que las chicas . . .
> *You hear:* no querer hablarle
> *You say:* Mi amigo teme que las chicas no quieran hablarle.
> *You hear the confirmation:* Mi amigo teme que las chicas no quieran hablarle.

1. Ramonita lamenta . . .

2. Los estudiantes se quejan de que la maestra . . .

3. Mi padre prefiere que Marcos y yo . . .

4. Los estudiantes se alegran de . . .

5. A mis padres no les gusta que nosotros . . .

6. Los turistas se quejan de . . .

7. El pastor se alegra de que la familia Ramos . . .

III. El subjuntivo: con expresiones de duda

Do you believe everything you hear? Use subjunctive expressions to indicate doubt about the following statements.

> *You see:* Tengo una bicicleta Porsche.
> *You hear:* No creo que . . .
> *You say:* No creo que tengas una bicicleta Porsche.
> *You hear the confirmation:* No creo que tengas una bicicleta Porsche.

1. Julia sabe cocinar.

2. Como una docena de huevos cada mañana.

3. Voy de vacaciones al Caribe.

4. Mi hermana sabe hablar quince idiomas.

5. Nosotros recibimos una B en español.

6. Aquella iglesia es pequeña.

7. Tengo un elefante en mi patio.

IV. El subjuntivo: con expresiones impersonales

Use the cues provided to change each statement to an impersonal expression.

You see: Roberto viene a la reunión.
You hear: Es importante que . . .
You say: Es importante que Roberto venga a la reunión.
You hear the confirmation: Es importante que Roberto venga a la reunión.

1. Cada cristiano lee la Biblia todos los días.

2. Los jóvenes cristianos asisten a la iglesia.

3. Obedecemos a Dios.

4. Satanás tienta a los jóvenes.

5. Dios castiga a los pecadores.

11-3 Testificando ▲▲▲▲▲▲▲▲▲▲▲▲▲▲▲▲▲▲▲▲▲▲▲▲▲▲▲▲▲▲▲▲▲▲▲▲

I. Diálogo

Follow along on page 294 of the textbook.

II. El subjuntivo: después de ciertas conjunciones

Manuel does not like to make commitments. Fill in the blanks below as you listen to him respond to Jorge's questions.

Jorge: ¿Vas a jugar al baloncesto esta noche?

Manuel: Voy a jugar _____ un partido en la televisión.

Jorge: ¿Me acompañas al centro este sábado?

Manuel: Te acompaño _____ aquí.

Jorge: ¿Me puedes ayudar con la tarea de geometría?

Manuel: Te ayudo _____ con la tarea de literatura.

Jorge: ¿Vas a ir al concierto la semana que viene?

Manuel: No voy a ir _____ una cita.

Jorge: ¿Quieres salir a almorzar?

Manuel: ¡Salgo _____ la cuenta!

Jorge: ¿Vas a sacar una A en el examen mañana?

Manuel: ¡No voy a sacar una A _____ de hacerme preguntas!

Now listen to the dialogue again as you check your answers.

III. Por + infinitivo

Combine each sentence you see with the corresponding sentence you hear. Use the construction por *plus an infinitive.*

You see: Pedro no está en clase hoy.
You hear: Pedro está enfermo.
You say: Pedro no está en clase hoy por estar enfermo.
You hear the confirmation: Pedro no está en clase hoy por estar enfermo.

1. Margarita saca malas notas.

2. Ella no quiere viajar a España.

3. Paco recibió un premio.

4. Te doy gracias.

5. Juan y yo vimos el accidente.

IV. Lectura bíblica

Follow along on page 298 of the textbook.

Capítulo Doce

▲▲▲

Versículo

Lucas 10:2 La mies a la verdad es mucha, mas los obreros pocos; por tanto, rogad al Señor de la mies que envíe obreros a su mies.

12-1 Las misiones ▲▲▲▲▲▲▲▲▲▲▲▲▲▲▲▲▲▲▲▲▲▲▲▲▲▲▲▲▲▲▲▲▲▲▲▲▲

I. Diálogo

Follow along on page 300 of the textbook.

II. El subjuntivo después de ciertas conjunciones de tiempo

Felipe is so excited about his future plans that he cannot even finish a sentence! Use the cues you hear to help him complete his thoughts.

You see: ¡Estudiaré en la universidad una vez que . . . !
You hear: salir de la escuela superior
You say: ¡Estudiaré en la universidad una vez que salga de la escuela superior!
You hear the confirmation: ¡Estudiaré en la universidad una vez que salga de la escuela superior!

1. ¡Viviré con mis padres hasta que . . . !

2. ¡Seré feliz cuando . . . !

3. ¡Estaré contento una vez que . . . !

4. ¡Tendré que trabajar mientras . . . !

5. ¡Me casaré tan pronto como . . . !

III. El subjuntivo con antecedentes indefinidos o hipotéticos

A. *Use the cues provided to complete each sentence in the subjunctive mood.*

You see: Los misioneros buscan a alguien que _____ en la misión.
You hear: ayudar
You write and say: Los misioneros buscan a alguien que _____ en la misión.
You hear the confirmation: Los misioneros buscan a alguien que ayude en la misión.

1. Los misioneros necesitan una maestra que _____ a Colombia para educar a sus hijos.

2. Ellos prefieren una maestra que _____ hablar español.

3. Esperan que la maestra _____ tocar el piano también.

4. Todavía no han encontrado a nadie que _____ ir a Colombia.

5. Tal vez hayan muchachas en mi iglesia que _____ interesadas en este ministerio.

B. *Answer each question with the cue provided. Be sure to use the appropriate indicative form of each verb since the answers are definite.*

> *You hear:* ¿No hay nadie que tenga un auto?
> *You see:* Pedro
> *You say:* Sí, Pedro tiene uno.
> *You hear the confirmation:* Sí, Pedro tiene uno.

1. Roberto
2. mi bisabuela
3. la Srta. Mendoza
4. la sopa de verduras
5. una aspirina

IV. Dictado

Listen as Julio talks about his dream of being a missionary when he graduates. Fill in the blanks below as you listen to the paragraph.

Siempre que _____ un misionero a mi iglesia, _____ en el futuro. Yo

_____ misionero cuando _____ mayor. Después de que _____ en

un instituto bíblico, _____ que _____ a un país donde _____ español.

Una vez que _____ varias personas, _____ una iglesia.

_____ cada día que el Señor me _____ para _____ a muchas personas

para Él. Pero, por ahora, _____ a alguien que me _____ cómo

_____ y _____ la Palabra de Dios.

Now listen to the paragraph again as you check your answers.

12-2 El nuevo nacimiento ▲▲▲▲▲▲▲▲▲▲▲▲▲▲▲▲▲▲▲▲▲▲▲▲▲▲▲▲▲

I. Lectura bíblica

Follow along on page 309 of the textbook.

II. El imperfecto del subjuntivo

A. *Last Friday afternoon, a church youth group was preparing for a special evangelistic activity. Using the cues provided, report the directions the pastor gave the young people.*

> *You see:* El pastor le dijo a Raúl que . . .
> *You hear:* poner las sillas en forma de círculo
> *You say:* El pastor le dijo a Raúl que pusiera las sillas en forma de círculo.
> *You hear the confirmation:* El pastor le dijo a Raúl que pusiera las sillas en forma de círculo.

1. El pastor les dijo a Mónica y a Débora que . . .

2. El pastor nos dijo que . . .

3. El pastor le dijo a David que . . .

4. El pastor les dijo a los jóvenes que . . .

5. El pastor les dijo a Josué y a Pablo que . . .

6. El pastor le dijo a Daniel que . . .

7. El pastor me dijo que . . .

B. *Mr. Cooper, a missionary to Barcelona, Spain, is preaching on the story of Nicodemus. Fill in the blanks below as you listen.*

Los fariseos _____ que Jesús _____ la verdad. Sin embargo, Nicodemo _____ a ver a Jesús de noche porque _____ que Él le _____ acerca de la vida eterna. Jesús _____ de que Nicodemo _____ tan interesado. Le dijo que _____ necesario que _____ de nuevo. Nicodemo _____ que poner su fe en Jesús—no en la religión—para que Dios _____ sus pecados. _____ comprender que Dios _____ a su Hijo al mundo para que todos _____ gozar de la vida eterna. Al leer los evangelios, _____ que Nicodemo sí _____ este mensaje y _____ salvo. Dios _____ esta historia en la Biblia para que todos nos _____: «¿_____ yo de nuevo?»

Now listen to the paragraph again as you check your answers.

III. El subjuntivo después de si

Using the cues provided, complete the following sentences with the imperfect subjunctive tense.

You see: Si yo _____, enviaría mucho dinero a los misioneros.
You hear: ser millonario
You write and say: Si yo _____, enviaría mucho dinero a los misioneros.
You hear the confirmation: Si yo fuera millonario, enviaría mucho dinero a los misioneros.

1. Si yo _____, viajaría a España todos los fines de semana.

2. Si tú _____, otros podrían hablar más.

3. Si la maestra _____, sacaría una A en el examen.

4. Si Rafael _____, no estaría siempre enfermo.

5. Si nosotros _____, seríamos trilingües.

6. Si mi padre me _____, iría a visitar a mis amigos en California.

TEXTBOOK EXERCISES

Capítulo Uno

1-1 ¡Bienvenidos a la Escuela! ▲▲▲▲▲▲▲▲▲▲▲▲▲▲▲▲▲▲▲▲▲▲▲▲

I. Verbos regulares -ar

Complete each sentence with the correct conjugation of the appropriate verb. Choose from the following list: andar, escuchar, llegar, llevar, mirar, pagar, trabajar, viajar.

1. Rafael siempre _____ tarde a la escuela.

2. Los estudiantes _____ las fotos del verano.

3. Mis amigos _____ a Europa todos los años.

4. Yo _____ cuando la profesora habla.

5. Tú _____ muchos libros a la escuela.

6. Yo _____ en un supermercado por las noches.

7. Nosotros no _____ dinero para ir a la escuela.

8. Rocío _____ a la escuela todos los días.

II. La negación

A. *For each of the following sentences, write an equivalent sentence using another negative word. Follow the model.*

   Modelo: Mónica nunca habla.
   Mónica no habla nunca.
   Mónica no habla.

1. Mi primo no estudia. _____
   _____

2. Los chicos nunca ayudan. _____
   _____

3. Dios nunca engaña. _____
   _____

4. Mi abuela no trabaja. _____
   _____

5. Carlos no llega tarde nunca. _____
   _____

6. Tu hermana nunca llama. _____
   _____

7. Pamela no obedece. _____
   _____

B. *Write five sentences telling about things you never do.*

_____

_____

_____

_____

_____

III. Artículos, sustantivos y adjetivos

A. *Decide whether the statements made about the following illustrations are true or false. Write* Verdadero *or* Falso. *(Note: If there is lack of agreement between the noun and adjective, the statement is false.)*

_____ 1. El perro es negra.

_____ 2. Los libros negros son pequeños.

_____ 3. La chica es feliz.

_____ 4. La bicicleta es nuevo.

_____ 5. Las niñas son buenos.

_____ 6. El pastel es barato.

_____ 7. La tiza es blanco.

_____ 8. El borrador es grande.

1. 2. 3. 4.

5. 6. 7. 8.

B. *Complete each phrase below with the corresponding adjective of nationality.*

1. Un chico _____
   (México)

2. Una muchacha _____
   (Colombia)

3. Unos muchachos _____
   (Argentina)

4. Unos gauchos _____
   (Uruguay)

5. Unas estudiantes _____
   (España)

6. Unos jóvenes _____
   (Francia)

C. *Using verbs presented in this chapter, write a composition about a typical day at school. You may use* Actividad 7 *in the textbook as a guide.*

_____

_____

_____

_____

_____

_____

_____

_____

_____

_____

_____

IV. El verbo estar

A. *Use the structure* estar + *an adjective to tell how the people in the following illustrations feel.*

Modelo: Está asustado.

1. _____

2. _____

3. _____

4. _____

5. _____

6. _____

B. *What a mess! Débora's living room has been turned upside down! Help her locate each item by completing the following sentences.*

1. El reloj _____
2. Las llaves _____
3. Los libros _____
4. El gato _____
5. El televisor _____
6. La ventana _____
7. Los muñecos _____
8. Las cajas _____

V. El verbo hay

Write questions for the previous activity using the verb **hay.**

1. un reloj _____
2. llaves _____
3. libros _____
4. un gato _____
5. un televisor _____
6. una ventana _____
7. muñecos _____
8. cajas _____

1-2 Haciendo amigos ▲▲▲▲▲▲▲▲▲▲▲▲▲▲▲▲▲▲▲▲▲▲▲▲▲▲▲▲▲▲▲▲▲▲▲

I. Preguntas y respuestas

A. Write questions for the following answers.

1. _____

   Los libros están encima de la mesa.

2. _____

   Vengo de la clase de ciencias.

3. _____

   Voy a la clase de matemáticas.

4. _____

   Estudio historia porque es interesante.

5. _____

   Tengo cinco clases al día.

6. _____

   La profesora viene mañana por la mañana.

7. _____

   Yo estoy bien, gracias.

8. _____

   Su mejor amigo es Santiago.

B. Answer the following questions about yourself.

1. ¿Adónde vas los domingos? _____

   _____

2. ¿Qué haces en tu tiempo libre? _____

   _____

3. ¿Cuál es tu clase favorita? _____

   _____

4. ¿Cuándo estudias español? _____

   _____

5. ¿Por qué estudias español? _____

   _____

6. ¿Quién es tu escritor favorito? _____

   _____

7. ¿Cómo estás hoy? _____

   _____

8. ¿Cuántas clases tienes al día? _____

   _____

II. Verbos regulares -er / -ir

A. *Complete each sentence with the correct conjugation of the appropriate verb. Choose from the following list:* **abrir, aprender, beber, comer, deber, recibir, repartir, vivir.**

1. Rocío _____ en Venezuela.

2. Los estudiantes _____ en el comedor.

3. Yo _____ cartas todos los días.

4. Mi hermano _____ la ventana por la mañana.

5. Tú _____ español en la escuela.

6. Los niños no _____ caminar solos por la calle.

7. Los jóvenes _____ tratados todos los fines de semana.

8. La profesora _____ café en la clase.

B. *Provide a true answer for each question. Use complete sentences.*

1. ¿Cuántas veces comes al día? _____

_____

2. ¿Recibes cartas todas las semanas? _____

_____

3. ¿Qué bebes por la mañana? _____

_____

4. ¿Deben repartir tratados los cristianos? _____

_____

5. ¿Cuándo repartes tratados tú? _____

_____

6. ¿A qué hora abre tu escuela? _____

_____

7. ¿Qué aprendes en la clase de español? _____

_____

8. ¿Dónde vives? _____

_____

III. El verbo ser

A. *Complete the following sentences according to the illustrations.*

1. El suéter _____

2. El señor Blanco _____

3. Luisa _____

4. Darío _____

5. Esteban _____

6. La señora Rodríguez _____

Darío   Esteban

B. *Write five sentences describing a good friend. Use the verb* ser.

_____

_____

_____

_____

_____

C. *Complete the following sentences using the verb* ser *and the antonym of the adjective given in the first part of each sentence.*

1. Raquel es bonita, pero su perrito _____

2. Mis hermanos son tacaños, pero yo _____

3. Yo soy rubio, pero tú _____

4. Beto es chistoso, pero Andrés _____

5. El libro de cuentos es fácil de leer, pero el de filosofía _____

6. Marisa es amable, pero sus primos _____

7. Tú eres delgada, pero tu gatito _____

8. Los soldados son leales, pero los rebeldes _____

D. Write questions for the following answers.

1. _____

El avión es de papel.

2. _____

Ramón es de Nicaragua.

3. _____

La blusa es de algodón.

4. _____

Los libros son de Juan.

5. _____

Ellos son de Argentina.

IV. Ser vs. estar

A. Complete the following sentences about Cristóbal by providing the appropriate form of ser or estar.

1. Cristóbal _____ de España.

2. Cristóbal _____ en América.

3. Cristóbal _____ en la escuela superior.

4. Cristóbal _____ un buen pianista.

5. Sus padres _____ muy amables.

6. Su madre _____ enferma hoy.

7. Su hermano Mateo _____ muy guapo.

8. Su hermana Ana _____ muy simpática.

B. Using appropriate forms of ser and estar, write five sentences describing a member of your family.

_____

_____

_____

_____

_____

1-3 Reunión familiar ▲▲▲▲▲▲▲▲▲▲▲▲▲▲▲▲▲▲▲▲▲▲▲▲▲▲▲

I. Vocabulario

A. *Using the family tree as a reference, write complete sentences stating the relationships between the people named.*

Modelo: Francisco / Isabel

Francisco es el esposo de Isabel.

1. Maribel / Francisco _____

2. Maribel / Patricia _____

3. Patricia / David _____

4. Julio / Merche _____

5. Esteban / Merche _____

6. Estela / José _____

7. Andrés / Isabel _____

8. Merche / David _____

9. David / José _____

10. José / Andrés _____

B. *In the space provided below, sketch your own family tree! Include all members of your immediate family. Write eight sentences expressing the relationships involved. You may use the previous activity as a model.*

_____

_____

_____

_____

_____

_____

_____

_____

II. Los adjetivos posesivos

A. Finish each sentence by telling the relationship of each person to the one in parentheses.

Modelo: El hermano de mi madre es _____. (yo)

1. El hijo de mis tíos es _____. (yo)

2. El esposo de mi hermana es _____. (mi madre)

3. Las hijas de mi madre son _____. (mi hermano)

4. El padre de mi padre es _____. (mi hermana y yo)

5. Mi madre es _____. (mis primos)

6. Tu abuela es _____. (tu abuelo)

7. La esposa de tu padre es _____. (tú)

8. El padre de mis primos es _____. (mis hermanos y yo)

B. Write the following requests in question format in Spanish.

1. Ask your pastor where his wife is: _____

2. Ask a friend where his grandparents live: _____

3. Ask your friend the date of his birthday: _____

4. Ask for the location of your keys: _____

5. Ask what flavor of ice cream your friend and you have: _____

6. Ask your cousins where their school is: _____

7. Ask Dad where our car is: _____

8. Ask your teacher what your homework assignment for tomorrow is: _____

9. Ask your doctor for his clinic schedule: _____

10. Ask your brothers where their friends go to study: _____

III. El comparativo de los adjetivos

Fill in the blanks with the comparative form of the adjectives illustrated.

1. El automóvil es _____ la camioneta.

2. El lápiz es _____ la regla. (largo)

3. Mis abuelos son _____ yo.

4. Mi tía es _____ mi tío.

5. El primer premio es _____ el segundo.

6. El tercero es _____ el segundo.

7. El libro de español es _____ el de japonés.

8. El Sr. Blanco es _____ el Sr. Rey.

1.

2.

3.

4.

5.

6.

7.

8.

Señor Blanco

IV. El comparativo de los adverbios

Fill in the blanks with the comparative form of the adverbs in italics.

1. Gregorio juega *bien* al fútbol, pero su hermano juega _____.

2. Alicia anda *mal* en las clases, pero sus amigos andan _____.

3. Yo siempre como *mucho* en las fiestas, pero mi hermano come _____.

4. María camina *poco,* pero sus primas caminan aún _____.

5. El auto de Paco anda *rápido,* pero el auto de Tito anda _____.

6. Los niños gritan *mucho* cuando juegan, pero los jóvenes gritan _____.

7. Mi abuela habla *muy despacio,* pero mi bisabuela habla _____.

8. El béisbol es *muy popular* en el Caribe, pero el fútbol es _____ en toda Latinoamérica.

V. El verbo tener

Respond to the following statements with idiomatic expressions using the verb tener.

1. You have not eaten since last night: _____

_____

2. Your mother is sad because her cake burned: _____

_____

3. The students are uncomfortable because the classroom is at 90°F: _____

_____

4. I have a test tomorrow: _____

_____

5. Your sister does not want to go into a dark and spooky room: _____

_____

6. You and your family are stuck in the snow: _____

_____

Capítulo Dos

2-1 ¡A comer! ▲▲

I. Vocabulario

Some people are very picky eaters! The table below contains lists of foods the people named do not like. Taking that information into account, prepare a daily menu for each person, making it as appetizing as possible.

Andrés	Rocío	Lisa	Miguel
las espinacas	el chocolate	los refrescos	la mantequilla
las manzanas	la mermelada	las papas	la piña
el repollo	los huevos	los tomates	el café
el pan	la lechuga	la ternera	el pescado
las ostras	el cerdo	los camarones	la leche
el arroz	el brécol	las cerezas	las zanahorias

	Andrés	Rocío	Lisa	Miguel
El desayuno				
El almuerzo				
La cena				

II. El presente: los verbos con cambios e→ie

Rewrite the following sentences replacing each phrase in italics with the verb in parentheses.

1. *En mi opinión* el pastel de manzana está buenísimo. (pensar que) _____

_____

2. El pollo está bueno, pero mi padre *quiere* los camarones. (preferir) _____

_____

3. *Me gustaría* comer pastel de chocolate todos los domingos. (querer) _____

_____

4. Mis hermanos *planean* despertarse todos los días a las siete. (pensar) _____

_____

5. De los dos pasteles, *voy a comer* el de manzana. (preferir) _____

_____

III. El superlativo de los adjetivos

Answer the following questions using the superlative form of each adjective.

1. ¿Quién es el/la mejor escritor(a)? _____

_____

2. ¿Cuál es el peor pastel que preparas tú? _____

_____

3. ¿Quién es el/la mayor de tu familia? _____

_____

4. ¿Quién es el/la menor de la clase? _____

_____

5. ¿Qué equipo de béisbol es el peor? _____

_____

6. ¿Quién es el/la mejor jugador(a) de tenis? _____

_____

7. ¿Cuál es el país más grande de Norte América? _____

_____

8. ¿Quién es el hombre más valiente que conoces? _____

_____

IV. El presente: los verbos -ir con cambios e→i

A. *Complete each sentence with the correct conjugation of the appropriate verb. Choose from the following list:* **conseguir, pedir, reír, repetir, servir, sonreír.**

1. El equipo de fútbol de la escuela nunca _____ ganar un partido.

2. Los camareros _____ la comida.

3. Mi amiga Rosa siempre _____ al camarero.

4. Nosotros nos _____ de Rosa.

5. Mis amigos siempre _____ churrasco.

6. A Manuel le gusta mucho el churrasco; él siempre _____.

B. *Match each e→i and e→ie stem-changing verb with its definition. (See pages 38 and 40 of the textbook.) Then write a sentence using each verb.*

1. _____: alcanzar una meta; obtener _____

_____

2. _____: hacer una cosa más de una vez _____

_____

3. _____: continuar _____

_____

4. _____: mostrar gozo en la cara _____

_____

5. _____: 1. ayudar a alguien; 2. funcionar _____

_____

6. _____: reconocer que uno ha hecho algo (malo) _____

_____

7. _____: sugerir algo a una persona; hacer una sugerencia _____

_____

8. _____: terminar de dormir _____

_____

V. Los verbos ir y venir

A. *Use a conjugated form of* ir *or* venir *to complete the sentences.*

1. Yo _____ de mi casa y _____ al campamento.

2. Ellos _____ al comedor; _____ a comer pollo.

3. Nosotros no _____ a mentir; _____ a decir siempre la verdad.

4. Tú nunca _____ a los ensayos. ¿No _____ a cantar en el coro?

5. Yo _____ a la capilla; _____ a tocar el piano toda la tarde.

6. Raúl, ¿_____ a la excursión?

7. No, no _____; _____ del trabajo y estoy cansado.

B. *In the following columns, write examples of the structures found in the previous exercise.*

ir + a + destination	ir + a + infinitive	venir + de + origen

2-2 ¡A jugar! ▲▲▲▲▲▲▲▲▲▲▲▲▲▲▲▲▲▲▲▲▲▲▲▲▲▲▲▲▲▲▲▲▲▲▲▲

I. Vocabulario

Fill in each blank with the term that corresponds to the description.

1. El que lanza la pelota en un partido de béisbol es _____.

2. El que mete el balón en el cesto es _____ de baloncesto.

3. El jugador de baloncesto _____ la pelota en la cancha.

4. El balón no entra en _____ porque toca el aro.

5. El jugador del otro equipo recibe el _____ y sigue el juego.

6. En el juego de _____ hay once personas en cada equipo.

7. _____ ejecuta las reglas del juego.

8. _____ se sientan en el estadio.

9. La persona que guarda la portería es _____.

10. El jugador de fútbol _____ el balón y _____. ¡Go-o-o-o-ol!

II. El presente: verbos con cambios o→ue y el verbo jugar

A. ***Complete each question with the correct conjugation of the verb given in parentheses. Then answer each question in sentence form. If you do not have a particular camp in mind, think of the ideal camp.***

1. ¿Cuánto _____ (costar) una semana de campamento? _____

   _____

2. ¿_____ (encontrarse) el campamento muy lejos de la ciudad? _____

   _____

3. ¿_____ (poder) jugar muchos deportes? _____

   _____

4. ¿También _____ (jugar) deportes individuales los campistas? _____

   _____

5. ¿Qué _____ (almorzar) ustedes en el campamento? _____

   _____

6. ¿Cuándo _____ (volver) a la cabaña? _____

   _____

7. ¿A qué hora _____ (acostarse)? _____

   _____

8. Si no disfrutas, ¿_____ (devolver) ellos el dinero? _____

   _____

9. ¿Qué _____ (recordar) tú del campamento? _____

   _____

10. ¿_____ (contar) ellos historias? _____

   _____

B. *Write a composition of five or so lines about a camp experience. You may use information from the previous activity.*

_____

_____

_____

_____

_____

_____

C. *Use* jugar, tocar, *or* poner *to complete the following sentences. Remember that although both* tocar *and* jugar *translate as* play, *their meanings differ.*

1. Luisa _____ el piano.

2. Tú _____ el disco compacto.

3. Tomás _____ al tenis.

4. Yo _____ al baloncesto.

5. David _____ la guitarra.

6. Marcos y Ramón _____ el radio.

7. Jorge _____ el trombón.

8. Ellos _____ al fútbol.

III. El presente: verbos con cambios en la primera persona

Answer the following questions being careful to use the correct conjugation of the appropriate verb.

1. Jorge conoce a un escritor famoso. ¿A quién conoces tú? _____

_____

2. Rocío sale de su casa a las siete y media cada día. ¿A qué hora sales tú? _____

_____

3. Andrés siempre pone sus libros en la mesa. ¿Dónde los pones tú? _____

_____

4. Tomás traduce cartas del inglés al español. ¿Qué traduces tú? _____

_____

5. Teresa hace su tarea todos los días. ¿Qué haces tú? _____

_____

6. Merche obedece a sus padres cuando quiere. ¿Cuándo obedeces tú? _____

_____

7. Eliseo no conduce aún. ¿Conduces tú? _____

_____

8. Los jóvenes salen a testificar cada sábado. ¿Cuándo sales tú? _____

_____

IV. El imperativo

A. *The following people are either doing what they should not do OR not doing what they should do. Tell them what or what not to do.*

   Modelo: *Rodolfo está llorando.*
   ¡No llores!

1. Rocío no quiere hacer la tarea. _____

2. Andrés no quiere poner la mesa. _____

3. El perro no quiere salir de la casa. _____

4. Nosotros no queremos hablar con él. _____

5. Sarai está escribiendo en la pared. _____

6. Rut no quiere venir al campamento. _____

7. José Manuel está dando patadas. _____

8. Tu equipo de fútbol no quiere jugar. _____

9. Tus amigos no quieren comer. _____

10. Carmen es perezosa. _____

B. *Write appropriate suggestions for each of the following situations.*

1. Todos los alumnos están haciendo la tarea menos Raquel; ella está durmiendo.

   a. _____

   b. _____

   c. _____

2. El equipo de baloncesto está desanimado. No quieren practicar y tampoco quieren jugar contra Las Panteras mañana.

   a. _____

   b. _____

   c. _____

3. Juan Antonio está engordando. Come demasiado y no hace ejercicio.

   a. _____

   b. _____

   c. _____

4. Rocío está resfriada y no puede parar de estornudar. No quiere ir al médico ni tomar medicina.

   a. _____

   b. _____

   c. _____

2-3 ¡A cantar! ▲▲

I. Vocabulario

A. Fill in the blanks below with appropriate vocabulary terms.

1. La _____ está en la mano del director de la banda.

2. Todos los miembros de la _____ están en la plataforma.

3. El _____ escribe obras musicales.

4. La _____ de ópera no usa micrófono.

5. Uno de los instrumentos de viento es el _____.

6. Uno de los instrumentos de metal es el _____.

7. Uno de los instrumentos de cuerda es la _____.

8. El _____ es más grande que el violín.

9. El _____ es un instrumento de percusión.

10. El _____ aplaude durante el concierto y grita —¡Bravo! ¡Otra! ¡Bis!
    ¡Que se repita!

B. Classify the following terms as instruments, other objects, or persons.

el compositor, el contrabajo, la cantante, la trompeta, el telón, la taquilla,
el tambor, el clarinete, la batuta, los boletos, el arpa, el público, la plataforma,
el director, el violinista

Instrumentos	Otros objetos	Personas

II. Los verbos saber y conocer

Use either saber or conocer to complete the following sentences.

1. Yo _____ cuantos años tienes.

2. Elisa no _____ a la nueva profesora.

3. ¿_____ tú a la nueva profesora?

4. Noemí _____ tocar el piano muy bien.

5. No _____ donde será el concierto.

6. Yo _____ al director y _____ donde vive.

7. Lorena no _____ cómo se llama el director.

8. Nosotros no _____ ese teatro.

III. El presente progresivo

Complete each sentence with the present progressive form of the verb given in parentheses.

1. La pianista _____ el piano. (tocar)

2. Los músicos _____. (hablar)

3. El director _____ la orquesta. (dirigir)

4. Los espectadores _____. (oír)

5. La señora _____ una carta. (escribir)

6. El niño _____ al fútbol. (jugar)

7. Joaquín _____ el diario. (leer)

8. El cantante _____ una pieza de ópera. (cantar)

IV. El objeto directo

A. *Answer the following questions using direct object pronouns.*

Modelo: ¿Tocas el piano?
　　　　　Sí, lo toco. / No, no lo toco.

1. ¿Lees el periódico? _____

2. ¿Llamas a tus amigos? _____

3. ¿Haces la tarea? _____

4. ¿Miras la televisión? _____

5. ¿Lavas los platos? _____

6. ¿Hablas español? _____

7. ¿Tocas la flauta? _____

8. ¿Cantas las canciones? _____

B. *Write a response for each of the following commands telling that you are doing so at the moment.*

Modelo: ¡Recoge los juguetes!
　　　　　Estoy recogiéndolos. / Los estoy recogiendo.

1. ¡Come las verduras! _____

2. ¡Cuenta las sillas! _____

3. ¡Pon la mesa! _____

4. ¡Canta la canción! _____

5. ¡Lee el libro! _____

6. ¡Limpia el despacho! _____

7. ¡Escribe la carta! _____

8. ¡Lava el auto! _____

C. *Use direct object pronouns to answer the questions following the dialogue.*

> **Andrés:** Hola, María, ¿cómo estás?
>
> **María:** Un poco cansada. Tengo que ir al aeropuerto a recoger a mis primas, Marta y Susana.
>
> **Andrés:** ¿Las conozco?
>
> **María:** No, no creo. Yo sólo conozco a Susana; Marta es su hermanita.
>
> **Andrés:** ¡Quiero conocerlas!
>
> **María:** Pues yo quiero conocer a tu primo, el atleta.
>
> **Andrés:** ¿David?
>
> **María:** Sí, yo te presento a mis primas si tú me presentas a tu primo.

1. ¿Conoce Andrés a María? _____

2. ¿Conoce Andrés a Marta y Susana? _____

3. ¿Conoce David a María? _____

4. ¿Conoce Marta a María y Andrés? _____

5. ¿Conoce Susana a María? _____

6. ¿Conoce Andrés a David? _____

7. ¿Conoce David a Marta y Susana? _____

8. ¿Conocen Susana y Marta a Andrés? _____

V. El verbo oír

The sound system is broken, so nobody can hear anything. Use the direct object pronouns and the verb oír to tell about the situation.

1. ¿Oyes la trompeta? _____

2. ¿Oye María el tambor? _____

3. ¿Oyen los músicos al director? _____

4. ¿Oímos nosotros los címbalos? _____

5. ¿Oís vosotros la música? _____

6. ¿Oyen ustedes las flautas? _____

7. ¿Qué oye la gente? _____

VI. El verbo caer

Poor Edgardo! Tell about his mishaps using the verb caer.

1. ¡Pobre Edgardo! Al despertarse, se _____ de la cama.

2. Mientras se cepilla los dientes, se le _____ el vaso de agua.

3. Cuando intenta peinarse, el peine y el cepillo se le _____.

4. ¡Se da prisa! Sus libros se _____ del escritorio.

5. Mientras desayuna, se le _____ la botella de leche.

6. Ahora espera el autobús y ve que grandes gotas de agua están _____ del cielo. ¡Pobre Edgardo! ¡No tiene paraguas!

Capítulo Tres

3-1 Comprando un traje nuevo ▲▲▲▲▲▲▲▲▲▲▲▲▲▲▲▲▲▲▲▲▲▲▲▲▲▲

I. Vocabulario

*Circle the letter of the item of clothing that would **not** be appropriate for each of the following situations.*

1. Juan va a una ópera con una amiga. Juan decide ponerse:

   a. una corbata

   b. unos pantalones

   c. un cinturón

   d. unas sandalias

2. Hace buen tiempo. Andrea va al campo con su madre y su hermana. Andrea lleva puesto:

   a. una falda plisada

   b. unas sandalias

   c. una bufanda de lana

   d. una camiseta de mangas cortas

3. Es domingo. Susanita va a la iglesia y lleva puesto:

   a. un vestido de mangas largas

   b. unos zapatos de tacón alto

   c. una corbata rayada

   d. un cinturón de cuero

4. Raúl va a jugar al fútbol y lleva:

   a. unos aretes de plata

   b. una camiseta

   c. unos zapatos deportivos

   d. unos pantalones cortos

5. Andrés va a escalar una montaña y lleva puesto:

   a. unas botas de cuero

   b. unos pantalones

   c. un abrigo

   d. un collar de perlas

6. Lucía va a esquiar; lleva puesto:

   a. un gorro de lana

   b. un vestido largo

   c. unas botas de cuero

   d. unas medias de lana

7. Los pantalones de Jorge tienen un problema con:

   a. la cintura

   b. la talla

   c. las mangas

   d. los bolsillos

8. Alicia va a una joyería y ve:

   a. un anillo de esmeraldas

   b. unas medias de lana

   c. unos aretes de oro

   d. una pulsera de plata

II. El verbo decir

Report what the following people are saying.

1. **Tomás:** ¡Tengo frío! _____

   _____

2. **Luisa:** Estoy cansada. _____

   _____

3. **Antonio:** ¡Quiero jugar al fútbol! _____

_____

4. **Yo:** No puedo dormir. _____

_____

5. **Tú:** Estudio demasiado. _____

_____

6. **Ellos:** ¡Vamos a la playa! _____

_____

7. **Nosotros:** ¡Queremos comer! _____

_____

8. **Ustedes:** ¡Tenemos prisa! _____

_____

III. Los adjetivos demostrativos

Complete the sentences with demonstrative adjectives according to the gender and number of the objects illustrated and their distance from you.

1. Yo tengo un automóvil como _____.

2. Quiero ir a _____ montaña.

3. _____ árbol no tiene hojas.

4. _____ calle es ancha.

5. Parece que _____ nube está negra.

6. Quiero una de _____ flores.

7. _____ ardilla está en el árbol.

8. _____ casa pertenece a mi tío.

IV. El pronombre relativo que

A. *Join each pair of sentences with a relative pronoun to form one sentence.*

1. Quiero el libro. El libro tiene fotos de Argentina. _____

   _____

2. Ése es el hombre. El hombre trabaja con mi padre. _____

   _____

3. Voy a visitar a una señora. La señora tiene tres caballos. _____

   _____

4. Debes hablar con la profesora. La profesora enseña arte. _____

   _____

5. Compra los tomates. Los tomates están maduros. _____

   _____

6. Han anunciado el accidente. El accidente ocurrió en la plaza. _____

   _____

7. Tengo que estudiar el capítulo. El capítulo habla de los pronombres. _____

   _____

8. Fui a la reunión. La reunión tuvo lugar en el parque. _____

   _____

B. *Respond to each question using the relative pronoun* que. *Follow the model.*

   Modelo: —¿Quieres conocer a mi prima?
   ¿Qué prima?
   La prima **que viene de España.**

1. —Quiero leer un libro.

   —¿Qué libro?

   — _____

2. —¡Mira aquella nube!

   —¿Qué nube?

   — _____

3. —Quiero una de esas flores.

   —¿Qué flores?

   — _____

4. —La ardilla está en el árbol.

   —¿Qué árbol?

   — _____

5. —Quiero comprar ese vestido.

   —¿Qué vestido?

   — _____

C. *Adding to the information given, write a phrase in response to each question. You may omit the noun.*

Tú: Me gusta leer libros.

Carlos: ¿Qué libros?

Tú: _____

Tú: Esa chica es mi amiga.

Rodrigo: ¿Qué chica?

Tú: _____

Tú: No quiero esos zapatos.

Ana: ¿Qué zapatos?

Tú: _____

Tú: Me gustaría ir a ese parque.

Laura: ¿Qué parque?

Tú: _____

Tú: Voy a visitar a mis tíos.

Claudio: ¿Qué tíos?

Tú: _____

Tú: ¿Me prestas tu camisa?

Rocío: ¿Qué camisa?

Tú: _____

Tú: Deme un pastel, por favor.

Señora: ¿Qué pastel?

Tú: _____

Tú: Ese es el hombre.

Mario: ¿Qué hombre?

Tú: _____

V. Adverbios

Complete each sentence with an adverb that corresponds to the idea given.

1. Esas medias cuestan 15 dólares; no son _____ baratas.

2. Esa blusa es talla 26, y Ana necesita talla 8; la blusa es _____ grande.

3. El precio del traje es _____ bueno. ¡Cuesta 50 dólares!

4. Estos zapatos son _____ caros. ¡Cuestan 150 dólares!

5. No me gustan esos pantalones; son _____ feos.

6. Ellos no hacen buena pareja; o ella es _____ alta o él es
   _____ bajito.

7. Antonio no se porta _____ bien; él es _____ malo.

8. Este libro es _____ interesante; quiero leerlo otra vez.

VI. Usos del infinitivo

A. *Use the infinitive constructions presented on page 80 of the textbook to write sentences according to the instructions given.*

1. Say that you work after eating. _____

_____

2. Say that you do not have time to read that book. _____

_____

3. Say that your mom does not have money to buy new clothes. _____

_____

4. Say that your father knows how to cook. _____

_____

5. Say that you want to be a teacher. _____

_____

6. Say that you pray before driving. _____

_____

7. Say that you wish to learn Spanish. _____

_____

8. Say that you hope to travel to Uruguay this summer. _____

_____

B. *Rewrite the following sentences using the impersonal expressions in parentheses. Be careful to preserve the original meanings.*

1. Duermo ocho horas al día. (Es bueno) _____

_____

2. Estudio mucho para esta clase. (Es necesario) _____

_____

3. Cuando estoy resfriado(a) tomo medicina. (Es necesario) _____

_____

4. Nosotros hacemos ejercicio todos los días. (Es importante) _____

_____

5. Si no comemos cereales, no tenemos energía. (Es bueno) _____

_____

6. No nos permiten entrar si no llegamos a tiempo. (Es importante) ___

_____

7. Marisa estudia varias horas al día. (Es bueno) _____

_____

8. Todos participan en las actividades del día. (Es necesario) _____

_____

C. Answer each question using an impersonal expression plus an infinitive. Do not simply copy the question in your answer; contribute a reason instead.

1. ¿Por qué estudias mucho? _____

_____

2. ¿Por qué no fumas? _____

_____

3. ¿Por qué duermes ocho horas al día? _____

_____

4. ¿Por qué llegas tarde a la escuela? _____

_____

5. ¿Por qué aprendes versículos de memoria? _____

_____

6. ¿Por qué tomas vitaminas? _____

_____

7. ¿Por qué haces ejercicio? _____

_____

8. ¿Por qué conduces rápido? _____

_____

3-2 Una visita al barbero ▲▲▲▲▲▲▲▲▲▲▲▲▲▲▲▲▲▲▲▲▲▲▲▲▲▲▲▲▲

I. Vocabulario

List as many appropriate objects as possible for each situation.

1. Para lavar el pelo es necesario tener . . . _____

   _____

2. Para cortar el pelo es necesario tener . . . _____

   _____

3. ¿Cuántos tipos diferentes de peinados se pueden hacer en la peluquería? _____

   _____

4. ¿Qué peinado no puede hacer el barbero? _____

   _____

II. Pedir vs. preguntar

Use either pedir *or* preguntar *to describe the actions of the following people.*

1. **Juan:** ¿Puedo ir a la casa de Tomás? _____

   _____

2. **Lorenzo:** Dame las llaves, por favor. _____

   _____

3. **Sarai:** ¡Tráeme el libro! _____

   _____

4. **Merche:** ¿Qué hora es? _____

   _____

5. **Sandra:** ¿Dónde está mi vestido? _____

   _____

6. **Noemí:** Dame la carta de mi hermana. _____

   _____

7. **David:** ¿Puedo cantar en el coro el domingo? _____

   _____

8. **Marcos:** ¿Quieres ir a la playa conmigo? _____

   _____

III. Los pronombres del objeto indirecto

A. *Make complete sentences with the phrases given and the* ir a + verb + *indirect object pronoun + direct object construction. Follow the model.*

   Modelo: Tú / escribir una carta a tu primo.
   Tú vas a escribir*le una carta.*

1. Tú / comprar pasteles para ella. _____

   _____

2. María / pedir las llaves a él. _____

_____

3. Patricia / regalar un corte de pelo a mí. _____

_____

4. Mi padre / enviar una carta a mis tíos. _____

_____

5. Yo / pedir permiso a mis padres. _____

_____

6. Mis padres / dar permiso a mí. _____

_____

7. Yo / dar un premio a ti. _____

_____

8. Rosa / prestar su abrigo a ti. _____

_____

B. *Rewrite the sentences from the previous activity; this time have the indirect object pronouns precede the verbs. Follow the model.*

Modelo: Tú *le* vas a escribir una carta.

1. _____
2. _____
3. _____
4. _____
5. _____
6. _____
7. _____
8. _____

IV. Los pronombres objetivos múltiples

A. *Answer the following questions using the indirect object + direct object + verb construction. Follow the model.*

Modelo: ¿Le das el auto a tu amigo?
Sí, *se lo doy.*

1. ¿Me recomiendas los restaurantes nuevos? No, _____

2. ¿Tus profesores te dan tiempo para trabajar? Sí, _____

3. ¿Te compran dulces tus abuelos? Sí, _____

4. ¿Te corta el pelo el barbero? No, _____

5. ¿Le corta la peluquera el pelo a tu madre? Sí, _____

6. ¿Le envías la carta a mi prima? Sí, _____

7. ¿Me envías las fotos a mí? No, _____

B. Answer the following questions affirmatively using the ir a + verb + indirect object + direct object construction.

1. ¿Vas a darle la revista a la señora? _____

_____

2. ¿Vas a pagarle la cuenta al camarero? _____

_____

3. ¿Me vas a prestar tus discos? _____

_____

4. ¿Le vas a lavar el pelo a tu madre? _____

_____

5. ¿Nos vas a regalar un corte de pelo? _____

_____

6. ¿Les vas a contar historias a los niños? _____

_____

V. El verbo gustar

A. Ask three classmates to name two things they like. Write their answers along with two things you like. Then share your findings with the class.

_____

_____

_____

_____

_____

_____

_____

_____

_____

_____

_____

_____

B. Report what the following people like. Follow the model.

Modelo: los himnos de Navidad / yo
A mí me gustan los himnos de Navidad.

1. los estudiantes atentos / la profesora _____

_____

2. un chico alto y guapo / yo _____

_____

3. estudiar español / tú _____

_____

4. el nuevo peinado / Marta _____

_____

5. la escuela / Sarai _____

_____

6. viajar / mis padres _____

_____

7. jugar al fútbol / José Manuel _____

_____

8. ir a la iglesia / mis amigos _____

_____

VI. Otros verbos como gustar

Circle the letter of the phrase that has the opposite meaning of the phrase in italics.

1. *No me importa lo que sucede.*

   a. No me interesa.

   b. Me preocupa.

   c. No me preocupa.

2. *Me encanta tu peinado.*

   a. Me gusta.

   b. Me agrada.

   c. No me gusta.

3. *Me preocupa tu salud.*

   a. Me importa.

   b. No me interesa.

   c. No me agrada.

4. *Me gusta la comida.*

   a. Me interesa.

   b. No me agrada.

   c. Me encanta.

5. *No me interesa este libro.*

   a. No me gusta.

   b. No me importa.

   c. Me gusta.

3-3 Un día típico en el campo misionero ▲▲▲▲▲▲▲▲▲▲▲▲▲

I. Los verbos reflexivos

A. *Use reflexive verbs to describe Mateo's morning routine.*

1.

2.

3.

4.

5.

6.

7.

8.

1. A las 6:55 de la mañana, Mateo _____.

2. Mateo _____ a las 7:00 de la mañana.

3. Mateo _____ a las 7:10.

4. A las 7:20, Mateo _____.

5. A las 7:25, Mateo _____.

6. Mateo _____ al autobús a las 7:35.

7. A las 7:45, _____ del autobús.

8. A las 7:55, _____ en clase.

B. *Ask a classmate the following questions about his or her daily routine. Write down the answers. Then have your classmate ask you the same questions and write down your answers.*

1. ¿A qué hora te levantas? _____

   _____

2. ¿Cuándo te duchas? _____

   _____

3. ¿Qué haces después? ¿Te vistes? ¿Desayunas? ¿Qué más haces? _____

   _____

4. ¿A qué hora te vas a la escuela? ¿A qué hora vuelves? _____

   _____

C. *Match the statements on the left with the expressions on the right.*

____ 1. Raúl, ¡vamos a llegar tarde!	A. ¡Ponte el abrigo!
____ 2. Marcos, son las 11:30 de la noche.	B. ¡Date prisa!
____ 3. María, ¡estás muy enferma!	C. ¡Despiértate!
____ 4. Rocío, hace mucho frío.	D. ¡Vete a dormir!
____ 5. Manuel, tienes el plato lleno.	E. ¡Quédate en casa!
____ 6. Mateo, ¡son las 7:15 de la mañana!	F. ¡Cómete la comida!

D. *Complete the following sentences with appropriate reflexive verbs.*

1. Los pacientes en el hospital toman medicina para _____.

2. Si llevas una camiseta de mangas cortas en el invierno, _____.

3. Antes de _____, tienes que comprometerte.

4. Cuando Antonio saca notas altas en la clase de matemáticas, _____.

5. Cuando Luis está solo y no tiene nada que hacer, _____.

6. Cuando sus amigos vienen a verle y juegan juntos, _____.

7. Si Marcos no está en su casa a la medianoche, sus padres _____.

II. Hacerse y ponerse

Use either **hacerse** *or* **ponerse** *to complete the following sentences.*

1. Cada vez que Antonio tiene que cantar, _____ nervioso.

2. Estela trabaja mucho porque quiere _____ rica.

3. Ese actor está en muchas películas y está _____ famoso.

4. Si no comes, _____ enfermo(a).

5. Cuando mi hermanito no dice la verdad, _____ furioso(a).

6. Cuando me guiñas el ojo, _____ rojo(a).

Capítulo Cuatro

4-1 Una llamada telefónica ▲▲▲▲▲▲▲▲▲▲▲▲▲▲▲▲▲▲▲▲▲▲▲▲▲▲▲▲▲

I. Vocabulario

A. *Fill in the blanks below with appropriate vocabulary terms telling what Juan Pablo is doing.*

1. Juan Pablo va a hablar por _____.

2. Él _____ el teléfono.

3. Él _____ el número.

4. Es el número _____.

5. Juan Pablo _____ el teléfono.

6. Él habla con _____.

B. *When you try to call your friend Lorena, her brother Raúl answers the phone. He tells you Lorena is not home at the moment, so you leave a message. Complete the phone conversation.*

Raúl: ¡Dígame!

Tú: ¡Hola! _____

_____

Raúl: ¿De parte de quién?

Tú: _____

_____

Raúl: Lo siento. Lorena no está aquí ahora mismo. ¿Le gustaría dejar un mensaje?

Tú: Sí, por favor. _____

_____

II. Adverbios de tiempo

Fill in the blanks below with appropriate adverbs of time.

¡Me encanta el _____ de semana! ¡_____ es sábado! Voy a ir con mis amigos a la feria _____ a las 7:30 p.m. _____ vamos a ir a la heladería. Son las 7:20 p.m. ahora. ¡Mis amigos van a llegar _____!

_____ por la mañana iré a la iglesia con mi familia. También iremos por la _____. Me gustan los domingos porque _____ tomo una siesta antes de ir a la iglesia por la tarde. ¡Me encanta dormir! _____ voy a la casa de mis abuelos también. ¡Mi abuela es una cocinera excelente!

¡Ay de mí! _____ es lunes. ¡_____ es fácil volver a la escuela!

III. Los números ordinales

Put the following sentences in chronological order according to the illustrations. Write out the corresponding ordinal number in each blank.

1. María entra en la sala. _____

2. María vuelve con una escoba (*broom*). _____

3. María barre (*sweeps*) la sala. _____

4. Todos se sientan en el sofá y comen palomitas. _____

5. ¡Ay, ay, ay! Las palomitas de maíz (*popcorn*) se caen al suelo. _____

6. Pepito llora; Mamá habla con Pepito. _____

7. Mamá habla con María. _____

8. Mamá entra en la sala y ve las palomitas en el suelo. _____

9. María trae más palomitas; Pepito sonríe. _____

10. María sale de la sala. _____

IV. Palabras indefinidas

Use negative words to answer the following questions.

1. ¿Qué tienes en el bolsillo? _____

   _____

2. ¿Qué cuaderno quieres? _____

   _____

3. ¿Conoces a alguien en la cafetería? _____

   _____

4. ¿Quieres algún libro? _____

   _____

5. ¿Tienen ustedes alguna idea? _____

   _____

6. ¿Con quién quieres hablar? _____

   _____

7. ¿Hablas ruso o japonés? _____

   _____

8. ¿Hay alguien en la sala? _____

   _____

4-2 Una cuenta de ahorros ▲▲▲▲▲▲▲▲▲▲▲▲▲▲▲▲▲▲▲▲▲▲▲▲▲

I. Vocabulario

Fill in the blanks below with appropriate vocabulary terms.

Banquero: Buenos días, ¿en qué puedo servirle?

Usted: Quisiera abrir _____.

Banquero: ¿Una cuenta corriente o una de ahorros?

Usted: De _____, por favor.

Banquero: Muy bien; la cuenta de ahorros ofrece muchos beneficios.

Usted: ¿Cuánto dinero tengo que _____?

Banquero: Tiene que depositar un mínimo de cien dólares.

Usted: ¿Cuál es el _____?

Banquero: Es un 2%; es un interés muy bueno.

Usted: Sí, está muy bien. ¿Cuántas veces al mes puedo _____ dinero?

Banquero: Dos veces al mes gratis; la tercera vez debe pagar un dólar.

Usted: Muy bien; me interesa.

Banquero: ¿Le gustaría _____ el formulario ahora?

Usted: Sí, por favor.

II. El verbo traer

A. *Carmen's friends are planning a surprise birthday party for her! Tell about their plans using the verb* traer.

1. Marisa y Tomás _____ el pastel de chocolate.

2. Marcela _____ el helado de vainilla.

3. Andrés y yo _____ bocadillos de jamón y queso.

4. Yo también _____ las servilletas.

5. ¿Qué quieres _____ tú?

6. Tú _____ las bebidas.

7. Carmen no _____ nada, por supuesto.

8. ¿Qué _____ tus amigos?

B. *Yolanda always organizes a Thanksgiving picnic with her friends. Help Yolanda with her list by writing what each person brings.*

Modelo: Yo / refrescos
Yo traigo los refrescos.

1. Ana y Maritza / el pan _____

_____

2. Luis / el pavo _____

_____

3. Tú / jamón y queso _____

_____

4. Jaime y yo / papas fritas _____

_____

5. Susana / el helado favorito de todos _____

_____

6. Lisa / el pastel _____

_____

7. Yo / los platos _____

_____

8. Miguel y Viviana / los vasos y las servilletas _____

_____

III. Los verbos como escoger

Complete each sentence with the correct conjugation of the appropriate verb.
Choose from the following list: **dirigir, escoger, proteger, recoger.**

1. Tú _____ entre el azul y el verde.

2. Cada día yo _____ a mi hermanita de la escuela.

3. El señor Rodríguez _____ la obra de teatro de la escuela.

4. El Señor me _____ en los tiempos difíciles de la vida.

5. Los soldados nos _____ del enemigo.

6. Cada domingo, mis amigos y yo _____ los himnarios de la iglesia.

7. Julio _____ a Mónica para el debate porque ella es inteligente.

8. Después del colegio mis amigos y yo _____ el tráfico.

IV. Expresiones de cortesía

Finish the following polite expressions.

1. Buenos días, _____ _____ _____ _____ pasar.

2. Me alegro de verle; tenga _____ _____ _____ pasar.

3. ¿Me puede _____ _____ _____ _____ cerrar la puerta?

4. _____ _____, siéntese en el sofá.

5. _____; usted es muy amable.

6. _____ _____ no fumar.

7. Sr. Martínez, _____ _____ _____ _____ sentarse.

8. La cuenta, _____ _____.

V. Los números y las fechas

A. *Write out the solutions to the following math problems. Then read each equation aloud for pronunciation practice.*

1. $23 + 16 =$ _____

2. $7 + 7 =$ _____

3. $90 - 7 =$ _____

4. $30 \times 3 =$ _____

5. $96 \div 6 =$ _____

6. $29 + 28 =$ _____

7. $87 - 18 =$ _____

8. $100 \div 4 =$ _____

B. *Write out the following dates.*

1. La fecha de tu nacimiento _____
   _____

2. La fecha de tu graduación de la escuela secundaria _____
   _____

3. La fecha de la boda de tus abuelos _____
   _____

4. La fecha de la boda de tus padres _____
   _____

5. El año en que piensas graduarte de la universidad _____
   _____

6. El día de hoy dentro de treinta años _____
   _____

7. El año de los próximos juegos olímpicos _____
   _____

8. La fecha imaginaria de tu boda _____
   _____

I. Vocabulario

Label the following illustrations with appropriate vocabulary terms.

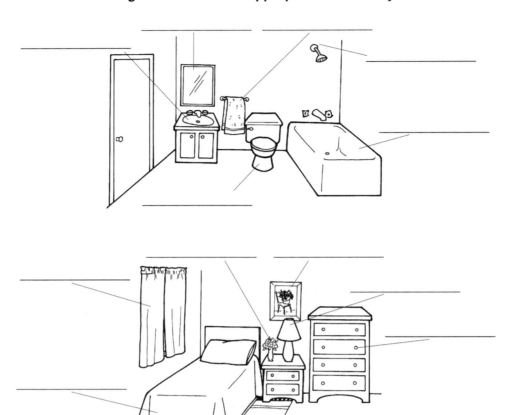

II. Las preposiciones

Refer to the illustrations again and fill in the blanks with appropriate prepositions.

1. La manta está _____ la cama.

2. La almohada está _____ la cama.

3. Las flores están _____ el florero.

4. La cama está _____ la ventana.

5. El cuadro está _____ la pared.

6. El tocador está _____ del cuadro.

7. La alfombra está _____ el suelo.

8. La lámpara está _____ del florero.

9. El inodoro está _____ el lavabo y la bañera.

10. El lavabo está _____ la puerta.

11. La toalla está _____ el lavabo y el inodoro.

12. La ducha está _____ la bañera.

III. Los pronombres después de las preposiciones

Fill in the blanks with pronouns according to yesterday's phone message.

Ayer fue un día muy agitado para _____. A las ocho de la mañana fui a la universidad. Mi amiga Viviana fue (con) _____. Luego fuimos a almorzar a la cafetería. Allí nos encontramos con Gonzalo y Jorge. La pasamos muy bien; nos encanta hablar con _____. Después de almorzar tomé una siesta. Al despertar Viviana me llamó y habló (con) _____. Me convenció a ir al partido de fútbol con _____. Regresé un poco tarde a casa anoche, y por eso no pude hablar (con) _____. Lo siento mucho. Espero verte pronto.

IV. Verbo + preposición + infinitivo

Provide any necessary prepositions for the verbs in the following sentences.

1. Acabo _____ llegar a Nicaragua y ya me siento como en casa.

2. Pero no me acostumbro _____ dormir en esta cama.

3. La gente aquí es muy amable y trata _____ hacerme sentir bien.

4. Estoy aprendiendo _____ hablar español para comunicarme con la gente.

5. No dejo _____ sonreír; me ayuda _____ comunicar.

6. Mañana comienzo _____ asistir a clases particulares de español.

7. Me alegro _____ estar aquí en Nicaragua.

8. Cada noche sueño _____ hablar español perfectamente.

V. Hacer + tiempo + que + verbo en el presente

A. *Find out the following information about your classmates. Follow the structure in the model.*

Modelo: ¿Cuánto tiempo hace que estudias español?
Hace dos años que María estudia español.

1. ¿Cuánto tiempo hace que no lees un libro? _____

_____

2. ¿Cuánto tiempo hace que tus padres están casados? _____

_____

3. ¿Cuánto tiempo hace que tu profesora enseña español? _____

_____

4. ¿Cuánto tiempo hace que conoces a tus vecinos? _____

_____

5. ¿Cuánto tiempo hace que tu padre tiene ese trabajo? _____

_____

6. ¿Cuántos días hace que no comes arroz? _____

_____

B. *Rewrite the following sentences using the same structure as the previous exercise.*

1. No veo a mi abuelo desde 1989. Estamos en 1998. _____

_____

2. Hoy cumplo dieciséis años. No tomo leche desde los diez años. _____

_____

3. Estoy escribiendo cartas desde las once de la mañana y son las dos de la tarde.

_____

4. No voy a la playa desde el año pasado. _____

_____

5. Hoy es el 22 de diciembre de 1995. Estudio español desde 1990. _____

_____

6. Conozco a David desde 1998 y estamos en 2006. _____

_____

VI. La posición de los adjetivos

Read the paragraph below and complete the following exercise. Do not spend a lot of time looking up unfamiliar words in the dictionary. At this point, your goal should be to understand the main idea of what you read.

Conozco a un pobre hombre que viene de una gran ciudad. Este hombre se llama Don Tobías. Es un pobre hombre porque siempre está triste. Numila es la pequeña gran ciudad de donde viene Don Tobías. Numila es famosa por sus riquezas, y este señor no es un hombre pobre. Don Tobías viene a pasar las vacaciones en Miramar cada verano. Cada año trae un auto nuevo. Miramar no es una ciudad grande; por eso, cuando viene un nuevo automóvil (¡sobre todo si es lujoso como el de Don Tobías!) llama la atención. Don Tobías se acomoda en el hotel donde yo trabajo. Éste es un buen hotel. El servicio es bueno, y el precio no está mal. Tengo un buen trabajo. Éste verano voy a hablar con Don Tobías acerca del Señor Jesucristo. Es triste ver a un hombre tan rico como él, tan pobre espiritualmente.

1. Don Tobías es un hombre (rico / pobre).

2. Don Tobías es de una ciudad (grande / pequeña).

3. Miramar es una ciudad (grande / pequeña).

4. El trabajo del narrador es (bueno / malo).

5. El hotel es (bueno / malo).

6. El precio del hotel es (bueno / malo).

7. (sí / no) Don Tobías es un hombre pobre.

8. (sí / no) Don Tobías es un pobre hombre.

9. (sí / no) Numila es una gran ciudad.

10. (sí / no) Numila es una ciudad grande.

Capítulo Cinco

5-1 Problemas Automovilísticos ▲▲▲▲▲▲▲▲▲▲▲▲▲▲▲▲▲▲▲▲▲▲

I. Vocabulario

A. *Label the following illustration with appropriate vocabulary terms.*

B. *Fill in the blanks below with appropriate vocabulary terms.*

1. El _____ del auto está desinflado.

2. Se recalentó el _____ de la motocicleta.

3. Tengo que cambiar el _____ del camión.

4. Antes de viajar, tienes que llenar el _____ de gasolina.

5. Hay que revisar la _____ en las llantas.

6. Tuve un accidente; fallaron los _____ del auto.

7. Por favor, cierra la _____.

8. Es obligatorio llevar puesto el _____.

II. El verbo acabar (de)

A. *Use the structure* acabar de *to tell about the arrivals and departures of the buses according to the schedules below. Two have already been done.*

Modelo: **Llegada:** de la Plaza Mayor; a las 11:00 a.m.

Son las once de la mañana y el autobús de la Plaza Mayor acaba de llegar.

Salida: para la Costa; a las 8:05 p.m.

Son las ocho y cinco de la noche y el autobús para la Costa acaba de salir.

Llegadas	
El Parque Central	11:25 a.m.
La Plaza Mayor	11:00 a.m.
El Mercado	2:00 p.m.
La Costa	7:50 p.m.

Salidas	
El Parque Central	11:40 a.m.
La Plaza Mayor	11:45 a.m.
El Mercado	2:15 p.m.
La Costa	8:05 p.m.

1. _____
2. _____
3. _____
4. _____
5. _____
6. _____

B. *Write sentences using the expression* acabar de *and the information below.*

1. Yo / limpiar el auto _____

   _____

2. Mis abuelos / comprar una casa _____

   _____

3. Rocío / ganar el primer premio _____

   _____

4. Ustedes / ver el mejor auto del mundo _____

   _____

5. Don Miguel / hablar con sus alumnos _____

   _____

III. El pretérito: los verbos -car, -gar, -zar

A. *Pretend you are the student(s) addressed in the command. Reply by stating that you completed the tasks at the time indicated in parentheses.*

Modelo: Antonio, ¡debes buscar el lápiz perdido! (ayer)
Lo busqué ayer.

1. Luisa y Ramón, ¡deben practicar el número especial! (anoche) _____

   _____

2. Tomás, ¡debes sacar fotos de tus amigos! (esta tarde) _____

_____

3. Andrés, ¡debes pagar la cuenta en la cafetería! (esta mañana) _____

_____

4. Manolo, ¡debes empezar el experimento! (ayer) _____

_____

5. Pablo Martín, ¡debes comenzar el curso de computación! (esta tarde) _____

_____

6. Alumnos, ¡deben entregarme sus tareas! (hace cinco minutos) _____

_____

B. *Fill in each blank with an appropriate verb in the preterite tense.*

1. ¿Te gustaría jugar al fútbol esta tarde?

   No, ya _____ esta mañana.

2. ¿Te importaría entregarle las llaves al mecánico?

   Ya se las _____ ayer.

3. Quisiera sacar una foto de su auto.

   Lo siento, usted ya _____ una.

4. Me gustaría comenzar una colección de estampillas.

   Yo ya _____ una.

5. ¿Quieres practicar el piano?

   Sí, no _____ mucho ayer.

6. ¿Pagas tú o paga él?

   Pago yo; él _____ la semana pasada.

IV. El pretérito: los verbos ir y ser

In the blanks provided, indicate whether each preterite form is the verb ir *or the verb* ser, *according to the context.*

1. _____ Mis padres fueron a las islas del Caribe en diciembre.

2. _____ Andrea fue a la reunión con Lorenzo.

3. _____ Yo fui presidente del club de español.

4. _____ Ester fue muy amable con los niños.

5. _____ Los adultos fueron a repartir tratados.

6. _____ Nosotros fuimos los campeones.

7. _____ Ustedes fueron los mejores alumnos.

8. _____ El desastre fue inevitable.

5-2 En la Estación de Ferrocarril ▲▲▲▲▲▲▲▲▲▲▲▲▲▲▲▲▲▲▲▲▲▲

I. Vocabulario

Complete the following statements with appropriate vocabulary terms.

1. Cuando un tren para en varios sitios _____

2. El tren pasa por la _____

3. Los pasajeros esperan en el _____

4. Un pasajero que cambia de trenes hace _____

5. El que maneja el tren es el _____

6. El tren que viene de Madrid es el tren _____

7. El tren que va a Madrid es el tren _____

8. Un billete Madrid-Toledo-Madrid es un billete _____

II. El pretérito: los verbos regulares -er / -ir

Fill in the blanks below with the preterite form of the verbs in parentheses. Notice that there are irregular as well as regular verbs.

Hace unos meses los jóvenes de mi iglesia _____ (ir) a varios pueblos para predicar el evangelio. El primer día ellos _____ (subir) al tren y así _____ (ir) a un pueblo cercano. Todos _____ (repartir) tratados a la gente allí. Algunos jóvenes no _____ (salir) de la estación; muchas personas en la estación _____ (recibir) tratados. Un señor comerciante que _____ (recibir) un tratado _____ (responder) muy bien. Él nos _____ (escribir) una carta y más tarde _____ (recibir) a Cristo como su Salvador personal.

Otro día los jóvenes _____ (salir) a testificar a otro pueblo. Esta vez yo también _____ (ir) con ellos. Nosotros _____ (ir) en tres autos. _____ (comer) en un parque a la orilla de la carretera. Ese día nosotros no _____ (repartir) muchos tratados, pero _____ (hablar) de nuestra salvación en Cristo. Cuando _____ (volver) a la iglesia, dos jóvenes nuevos en nuestro grupo _____ (recibir) a Cristo como su Salvador personal.

III. El pretérito: los verbos dar y ver

Fill in the blanks below with appropriate forms of the verbs dar *and* ver, *according to the context.*

1. Mi tío le _____ a mi hermano la noticia del accidente.

2. Nosotros no _____ el accidente.

3. Rafael _____ las gracias a la policía por su ayuda.

4. Los profesores _____ las noticias por televisión.

5. Ustedes _____ un buen reportaje de lo que ocurrió.

6. ¿_____ tú el reportaje?

7. Lo siento, pero yo no lo _____.

8. Nosotros le _____ ayuda médica a los heridos.

9. Tú no le _____ las noticias a Mateo.

10. Ellos dicen que no _____ el accidente.

IV. El pretérito: los verbos caer, creer, leer, oír

Use the information below to write sentences in the preterite tense.

1. Fernando / leer el periódico del domingo _____

   _____

2. El / no creer las noticias del accidente _____

   _____

3. Dos niños / caerse de un tren _____

   _____

4. Yo / oír un ruido _____

   _____

5. Mis amigos y yo / no creer lo que vimos _____

   _____

6. Nosotros / oír las noticias al día siguiente _____

   _____

7. Mis padres / leer el periódico _____

   _____

8. Ellos / creer la historia _____

   _____

9. Menos mal que nosotros / no caernos _____

   _____

10. ¿Tú / creer las noticias? _____

   _____

V. Adverbios que terminan en -mente

A. *Complete each statement with an adverb based on the adjective provided.*

1. Félix habla muy (rápido) _____.

2. Gabriel (normal) _____ juega al fútbol en el parque de deportes.

3. José habla con Marisa (frecuente) _____.

4. Raquel puede hacer un pastel muy (fácil) _____.

5. Daniel se está recuperando del accidente (lento) _____.

6. Tomás estudia (constante) _____.

B. *Complete each sentence with an appropriate adverb ending in* -mente.

1. Teresa sacó un cien por ciento en el examen; ella contestó las preguntas

   _____ .

2. Benito corrió _____ para llegar primero.

3. Las tortugas andan _____ ; siempre llegan las últimas.

4. La familia Jiménez asiste a la iglesia _____ .

5. Este problema no es grave; se puede solucionar _____ .

6. Jonatán vive en Ecuador, pero no es de allí; _____ él es de Perú.

5-3 Un Viaje en Avión ▲▲▲▲▲▲▲▲▲▲▲▲▲▲▲▲▲▲▲▲▲▲▲▲▲▲▲▲

I. Vocabulario

A. Fill in the blanks below with appropriate vocabulary terms.

1. En el aeropuerto, yo pongo las maletas en el _____

2. Antes de embarcar, tengo que facturar mi _____

3. Si el avión no sale a tiempo, voy a la _____

4. La puerta por donde entro al avión se llama la puerta de _____

5. Para ir a un país extranjero, necesito un _____

6. Si quiero vivir en otro país, necesito un _____

7. Si tengo algo que declarar, voy a la _____

8. Cuando llego a un país extranjero, tengo que pasar por _____

B. Match each term with its corresponding definition.

_____ 1. Uno que trabaja en la aduana

_____ 2. Cuando el avión parte de la pista

_____ 3. Cuando el avión llega al aeropuerto

_____ 4. Subir al avión

_____ 5. Cuando el avión llega tarde

_____ 6. La acción de registrar el equipaje

_____ 7. Bajar del avión

_____ 8. Un papel necesario para subir al avión

_____ 9. El lugar de acceso a las puertas de embarque

_____ 10. La camarera a bordo del avión

A. Facturar

B. Inspector

C. Azafata

E. Despegue

F. Desembarcar

G. Aterrizaje

H. Embarcar

I. Tarjeta de embarque

J. Retraso

K. Terminal

II. El pretérito: más verbos irregulares

A. Fill in the blanks with the correct preterite form of each verb in parentheses.

1. Todos los pasajeros _____ (tener) que esperar en el terminal.

2. Mis amigos y yo _____ (poner) nuestras maletas en el suelo.

3. _____ (andar) por el aeropuerto toda la mañana.

4. Roberto fue a buscarnos, pero no _____ (poder) encontrarnos.

5. Yo no _____ (saber) que decirle a Roberto cuando por fin nos encontró.

6. Los mecánicos _____ (estar) reparando el avión.

7. Nosotros no _____ (saber) lo que había ocurrido.

8. Yo _____ (tener) tiempo para visitar las tiendas.

B. *Write sentences in the preterite tense with the information provided below.*

1. Mis tíos de Colombia / venir a casa para la Navidad _____

    _____

2. Mis primos y yo / poder dormir en el garaje _____

    _____

3. El primer día mi tía / hacer comida colombiana _____

    _____

4. Mi hermano pequeño / no querer comer _____

    _____

5. Por la tarde toda la familia / andar por el parque _____

    _____

6. A las seis nosotros / venir a casa para descansar _____

    _____

7. Por la tarde todos nosotros / hacer planes para el próximo día _____

    _____

III. El pretérito: los verbos como decir

Write the correct preterite form of each verb in parentheses.

1. Débora _____ (traducir) unos tratados al español.

2. Dios _____ (bendecir) el ministerio de los jóvenes.

3. Los hermanos de Sandra _____ (traer) a sus amigos a la reunión.

4. ¿Quién _____ (conducir) el auto?

5. Teresa y Julián _____ (conducir).

6. ¿Es cierto que la compañía aérea _____ (reducir) los precios?

7. Sí, Fernando _____ (decir) que todos los vuelos estaban en descuento.

8. No sé por qué no lo _____ (decir) antes.

IV. El pretérito: los cambios de sentido

Complete the following short story by filling in the blanks with the appropriate preterite forms of **conocer, querer, no querer,** *or* **saber.**

1. Unos amigos míos _____ a Pelé el año pasado.

2. Yo _____ ir al aeropuerto con ellos la segunda vez.

3. Ellos _____ decirme el gran secreto.

4. Porque somos tan amigos, yo _____ ir sin el permiso de ellos.

5. Ya era demasiado tarde cuando yo _____ la hora de la salida del avión.

6. Más tarde, todos los estudiantes _____ que mis amigos tuvieron una

    entrevista privada con el mejor jugador de fútbol en todo el mundo. ¡Qué suerte!

Capítulo Seis

6-1 Independencia para Latinoamérica ▲▲▲▲▲▲▲▲▲▲▲▲▲▲▲

I. Vocabulario

Fill in the blanks below with appropriate vocabulary terms.

1. Cada cristiano está en una _____ espiritual.

2. Las _____ de esta guerra no son cañones, granadas o metralletas.

3. El arma del cristiano es la _____ del Espíritu de Dios.

4. Si obedecemos la Palabra de Dios, podemos _____.

5. El Señor Jesucristo es nuestro _____.

6. Gracias a Él, nuestra _____ y la _____ del enemigo

   son seguras.

7. Todavía hay muchas almas que el Salvador desea _____.

8. Solamente Jesucristo les puede dar verdadera _____.

II. Hacer + que con el pretérito

A. *Ask how long it has been since the following people performed the following actions.*

1. Rocío / venir de España _____

   _____

2. Ana y José / ir a Europa _____

   _____

3. Nosotros / ir al Caribe de vacaciones _____

   _____

4. Ellos / venir a nuestra casa _____

   _____

5. José Luis / aprender español _____

   _____

6. Tú / besar a tu madre _____

   _____

B. *Write questions using the following phrases and the* hacer + que + *the preterite construction. Ask the questions to various classmates and write their answers on the last line.*

1. entrar a esta escuela por primera vez _____

    _____

    _____

2. empezar a estudiar español _____

    _____

    _____

3. conocer por primera vez a tu mejor amigo(a) _____

    _____

    _____

4. leer un libro _____

    _____

    _____

III. El imperfecto: los verbos regulares -ar, -er, -ir

A. *Tell what each person in the following illustrations was doing.*

Modelo: Lorenzo tocaba la guitarra.

1. María y Marta _____ .
2. Mónica _____ la mesa.
3. El Sr. Martínez _____ el periódico.
4. La Sra. Martínez _____ con Rocío.
5. Juan y Raúl _____ un juego.
6. Roberto _____ el piano.
7. Miriam _____ cartas a sus amigas.
8. Los chicos _____ palomitas.

la familia Martínez

5.

6.

7.

8.

B. *Fill in the blanks below with the appropriate imperfect form of the verbs in parentheses.*

Cuando _____ (tener) diez años me _____ (gustar) mucho ir a la

playa con mis amigos. Adelita y yo _____ (hacer) castillos de arena y

_____ (nadar) en el mar. Ramón siempre nos _____ (tirar) arena

y nos _____ (hacer) correr. Todos nos _____ (quedar) en la playa

hasta la hora de comer y luego _____ (comer) donde _____ (haber)

árboles. Siempre nos _____ (gustar) lo que nuestras madres _____

(haber) preparado para el almuerzo. Después de comer _____ (jugar) a la

pelota. Finalmente _____ (volver) a casa. Lo _____ (pasar)

muy bien en aquellos días de la niñez.

6-2 José Martí, Patriota Cubano ▲▲▲▲▲▲▲▲▲▲▲▲▲▲▲▲▲▲▲▲

I. Vocabulario

A. *Label the following illustration with appropriate vocabulary terms*

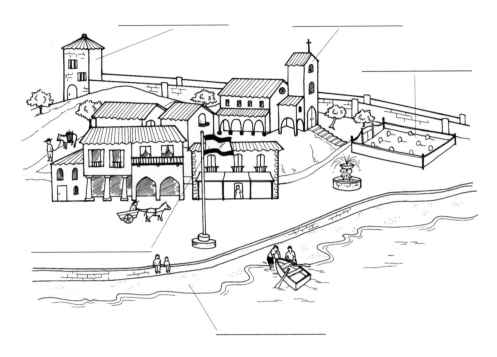

B. *Fill in the blanks below with appropriate vocabulary terms.*

1. Los países de América Latina querían la _____.

2. Los _____ cubanos luchaban contra los españoles.

3. Un _____ es una persona (como José Martí) que muere por una causa.

4. Los _____ trabajaban en la catedral.

5. Algunas causas para la revolución eran los _____ y la _____.

6. El _____ es el amor por la patria.

II. El imperfecto de ser, ir y ver

A. *Fill in the blanks below with the imperfect forms of the verbs* **ser, ir,** *or* **ver.**

1. Los países de Colombia, Venezuela y Panamá _____ la Nueva Granada.

2. Simón Bolívar _____ el presidente de Colombia.

3. El deseo de Bolívar para América del Sur _____ un gobierno central.

4. Bolívar _____ a unir los países de América del Sur.

5. Había problemas en las colonias; Bolívar no _____ su sueño hacerse realidad.

B. *Fill in the blanks below with the appropriate imperfect form of the verbs in parentheses.*

Cuando mi padre _____ (ser) joven, _____ (trabajar) en el ejército. Él

_____ (ser) coronel. Cada vez que _____ (haber) guerra, él _____

(ir) con el ejército para pelear. Cuando _____ (estar) en medio de la batalla,

no _____ (poder) pensar en otras cosas. Él _____ (tener) que luchar

por su patria. Cuando los soldados _____ (ver) al enemigo, ellos _____

_____ (prepararse) para luchar. Siempre _____ (querer) ser supe-

riores. Cuando mi padre _____ (regresar), la familia le _____

(esperar) con los brazos abiertos. A veces mi padre _____ (venir) muy cansado,

pero siempre _____ (estar) muy contento de ver a su familia.

III. Usos del imperfecto: acciones continuas

The following sentences tell about habitual actions in the past. Fill in each blank with the appropriate imperfect form of the verb in parentheses.

1. Mi padre _____ (caminar) todos los días a la escuela.

2. Rocío _____ (hacer) sus tareas cada noche.

3. Yo siempre _____ (llevar) mi almuerzo a la escuela.

4. Mi abuelo se _____ (levantar) cada día a las cinco de la mañana.

5. Cada domingo mis abuelos _____ (ir) a la iglesia.

6. El predicador siempre les _____ (invitar) a comer en su casa.

7. Mis tíos nunca _____ (querer) volver a casa después del almuerzo.

8. Yo _____ (visitar) a mis abuelos todos los fines de semana cuando era pequeño.

IV. El uso del imperfecto: acción en progreso

A. *Complete each sentence telling about progressive action in the past with the correct imperfect form of the appropriate verb. Choose from the following list:* cantar, comer, limpiar, predicar, tomar.

1. Lucía _____ mientras limpiaba la casa.

2. Andrea _____ su dormitorio.

3. El abuelo _____ palomitas mientras descansaba.

4. Mi padre _____ notas durante la predicación.

5. El pastor _____ acerca de la batalla espiritual.

B. *The following sentences describe the background of an action. Fill in each blank with the appropriate imperfect form of the verb in parentheses.*

1. _____ (estar) nevando en Virginia, y yo _____ (tener) mucho frío.

2. Cuando llegamos a Sevilla, _____ (hacer) mucho calor.

3. Después del viaje, mi madre _____ (sentirse) muy cansada.

4. El año pasado conocí a un hombre que _____ (hablar) siete idiomas.

5. El señor que compró la hacienda _____ (ser) alto y _____ (tener) pelo negro.

6. Mi hermano fue al instituto bíblico porque _____ (querer) ser pastor.

7. _____ (ser) las dos de la mañana y Carlos no _____ (haber) llegado.

8. Nosotros _____ (tener) sueño y _____ (querer) dormir.

V. El imperfecto progresivo

Fill in the blanks below with the appropriate imperfect progressive form of the verbs in parentheses.

1. Los soldados _____ (dormir) cuando atacó el enemigo.

2. Bolívar _____ (estudiar) en España.

3. Los americanos _____ (luchar) contra los españoles.

4. Perú _____ (buscar) la independencia.

5. Los niños _____ (jugar) en el jardín.

6. Ramona _____ (sacar) fotos.

7. Yo _____ (nadar) en la piscina.

8. Mis padres _____ (preparar) la comida.

6-3 La Hacienda en México ▲▲▲▲▲▲▲▲▲▲▲▲▲▲▲▲▲▲▲▲▲▲▲▲

I. Vocabulario

Circle the letter of the vocabulary term that best completes each statement.

1. Un grupo de personas que trabaja en el gobierno es
   a. el diputado.
   b. el senador.
   c. el congreso.
   d. la presidencia.

2. Todos los ciudadanos votan cuando hay
   a. elecciones.
   b. huelga.
   c. manifestaciones.
   d. protestas.

3. Cuando los trabajadores quieren protestar hay
   a. reforma.
   b. huelga.
   c. socialismo.
   d. cortes.

4. Si un partido político no es conservador, es
   a. independiente.
   b. liberal.
   c. popular.
   d. democrático.

5. El sistema político donde todos los ciudadanos tienen los mismos derechos es
   a. el comunismo.
   b. la dictadura.
   c. la democracia.
   d. la oligarquía.

II. El uso del imperfecto: descripción en el pasado

Complete the following short story with the correct imperfect form of the appropriate verbs. Choose from the following list: ayudar, estar, estudiar, gustar, haber, levantar(se), ser, tener, trabajar, vivir. *(The verbs may be used more than once.)*

Ángeles _____ una chica de un pueblo colombiano. Ella _____ quince años. _____ en una hacienda con sus padres. Ángeles _____ en la escuela del pueblo y _____ en la hacienda con su padre. _____ muchas vacas en la hacienda, y Ángeles _____ que cuidarlas. Cada mañana _____ a las cinco de la mañana para hacer su trabajo e ir a la escuela. Ángeles _____ un hermano de doce años que también _____ a su padre en la hacienda. Los dos _____ contentos con la vida allí, pues les _____ mucho.

III. El uso del imperfecto: estado mental o emocional en el pasado

The following sentences describe a mental or emotional state in the past. Fill in each blank with the appropriate imperfect form of the verb in parentheses.

1. Cuando mi padre era niño, _____ (querer) ser médico.

2. A él le _____ (gustar) mucho jugar a los doctores.

3. Mi abuelo _____ (creer) que mi padre _____ (estar) loco.

4. Mi abuela _____ (entender) el deseo de mi padre.

5. Mi padre no _____ (querer) enojar a mi abuelo, pero _____ (desear) estudiar medicina.

6. Mi abuelo _____ (amar) a su hijo y _____ (querer) lo mejor para él.

7. Mi padre oraba todos los días y _____ (creer) que Dios le oía.

8. Mi padre _____ (confiar) en Dios, y Él contestó sus oraciones.

IV. Ir + a + infinitivo

Fill in the blanks below with the imperfect or the preterite forms of the ir + a + *infinitive construction as appropriate.*

1. María _____ (cantar), pero perdió la voz.

2. Antonio y Adela _____ (casarse), pero no tenían dinero.

3. Mis padres _____ (pasear) a las islas Canarias.

4. David _____ (dormir) porque estaba cansado.

5. Mis abuelos _____ (venir), pero vivían muy lejos.

6. Yo _____ (llamar) a Luis, pero él me llamó primero.

7. Amanda _____ (ganar) la competición, pero se cayó al suelo.

8. Mi madre _____ (hacer) paella, pero se olvidó de comprar el arroz.

V. Resumen de los usos del pretérito y el imperfecto

A. *Read each situation in English and write the sentence in Spanish using the form of the past (preterite or imperfect) which fits best. If it is a repeated or habitual action, use the imperfect form. If it is a one-time action, use the preterite form.*

Modelo 1: The teacher taught the lessons.
La profesora enseñaba las lecciones.

Modelo 2: The teacher taught the class on Thursday.
La profesora enseñó la clase el jueves.

1. The children played in the park last Sunday. _____

_____

2. The soldiers fought against the enemy in the war. _____

_____

3. When my uncle was in the army, he was a general. _____

_____

4. My grandfather traveled to Venezuela each year. _____

_____

5. My mother came from Perú to México during the war. _____

_____

6. Bolívar desired the independence of his country. _____

_____

7. The soldiers ate the same food every day. _____

_____

8. The Americas won their independence. _____

_____

B. ***Decide whether the verb forms in the following sentences are the most appropriate. If they are, write*** correcto ***on the line. If they are incorrect, write the correct form of the verb.***

1. Mi profesora de español *tenía* un bebé ayer. Es muy bonito. _____

2. Ella no *venía* a clase cuando *estaba* embarazada. _____

3. El pastor *predicó* en la iglesia el domingo pasado. _____

4. Raquel *trabajaba* en una heladería los fines de semana. _____

5. Rosana *caminaba* a mi casa el domingo pasado. _____

6. Esteban *iba* a la misma escuela que yo. _____

7. Mariana *encontraba* un anillo de oro. _____

8. Rafael *compró* el pan todos los días. _____

Capítulo Siete

7-1 Los Músicos de Bremen ▲▲▲▲▲▲▲▲▲▲▲▲▲▲▲▲▲▲▲▲▲▲▲▲▲▲▲

I. Vocabulario

Circle the letter of each term that does not have the characteristic mentioned.

1. Vive en la finca.

   a. la cabra

   b. la mosca

   c. el pez de color

   d. la oveja

2. Come hierba.

   a. el conejo

   b. el burro

   c. la vaca

   d. el mosquito

3. Es un insecto.

   a. el escarabajo

   b. la cucaracha

   c. el gallo

   d. la mariposa

4. Tiene plumas.

   a. el ratón

   b. el loro

   c. el pavo

   d. el canario

5. Es muy trabajador.

   a. el buey

   b. la hormiga

   c. el cerdo

   d. el caballo

II. Había vs. hubo

A. *Complete the following sentences with the appropriate form (preterite or imperfect) of the verb* haber.

1. Ayer _____ un accidente.

2. En el accidente _____ tres heridos.

3. _____ mucha gente alrededor.

4. También _____ muchos coches de policía.

5. Al otro lado de la carretera _____ una ambulancia.

6. No _____ ningún muerto en el accidente.

7. Entre la gente _____ un doctor que ayudó a los heridos.

8. A la hora de testificar _____ muchos testigos.

B. *Fill in each blank below with the appropriate form of the verb* **haber.**

_____ una vez un hombre que vivía en una casita en el bosque. _____ gallinas en el patio de la casita. Un día _____ una tormenta terrible y la casita se llenó de agua. Ya no _____ gallinas. Sólo _____ agua por todas partes. El pobre hombre habló con sus vecinos y _____ una reunión. _____ muchos vecinos con el mismo problema. _____ mucho trabajo que hacer. Todos querían ayudar. _____ varias reuniones de organización y trabajo. En cada una de esas reuniones _____ niños y adultos de todas las edades. _____ mucho trabajo.

III. Los participios pasados regulares

A. *While Mrs. López went to the store, she left her children at home with a list of things to do. When she returned from the store, however, she was very disappointed. Tell about the situation and its ensuing consequences by writing the appropriate form of each verb in parentheses.*

1. Juan _____ (dormir) en el sofá.

2. Rebeca _____ (sentar) delante del televisor.

3. Julián _____ (ocupar) con la computadora.

4. La ropa _____ (mojar) todavía.

5. Las ventanas _____ (cerrar).

6. Los platos no _____ (lavar).

7. Los juegos no _____ (recoger).

8. Todas las luces _____ (encender).

9. La señora López _____ (enojar).

10. Los niños _____ (arrepentir).

B. *Complete the following sentences with appropriate past participles.*

1. Hacía mucho calor; la calefacción _____

2. El niño tenía mucho sueño; él _____

3. No escuché las noticias porque el radio _____

4. No podía encontrar a mi perro porque _____

5. Antonio llegó tarde a casa y su padre _____

6. Teresa dejó la comida en el horno y cuando volvió _____

7-2 Platero ▲▲

I. Vocabulario

A. *Match each definition with its corresponding vocabulary term.*

_____ 1. Que tiene mucho pelo   A. Trote

_____ 2. Una flor amarilla   B. Azabache

_____ 3. Un insecto negro   C. Peludo

_____ 4. Un tipo de uva muy delicada   D. Higo

_____ 5. Una fruta de un árbol   E. Prado

_____ 6. Una piedra de color negro   F. Gualda

_____ 7. Un tipo de metal   G. Moscatel

_____ 8. Un movimiento a saltitos   H. Caricia

_____ 9. Un lugar donde comen hierba   I. Acero

       los animales   J. Escarabajo

_____ 10. Un toque suave y cariñoso

B. *Circle the letter of the vocabulary term that best fits the description.*

1. Es un pájaro que vive en los árboles del bosque.

     a. el oso   c. el mono

     b. el búho   d. la culebra

2. Es pequeño y vive en el agua.

     a. el tiburón   c. el hipopótamo

     b. la ballena   d. el cangrejo

3. Se llama «el rey de la selva».

     a. el león   c. el lobo

     b. el leopardo   d. el venado

4. Tiene cuello largo y vive en la selva.

     a. el calamar   c. la jirafa

     b. la cebra   d. el pulpo

5. Es muy inteligente; no se olvida.

     a. el elefante   c. el tigre

     b. el águila   d. el zorro

II. El pronombre impersonal se

A. *Use the impersonal* se *and the information given to write advertisements.*

1. Necesitar / profesores de piano _____

2. Prohibir / hablar inglés _____

3. Buscar / un perro de caza _____

4. Comprar / un coche usado _____

5. Vender / máquinas de escribir _____

6. Alquilar / apartamentos baratos _____

7. Dar / clases de español _____

8. Regalar / un gatito doméstico _____

B. Complete each of the following sentences with the impersonal se and the correct conjugation of the verb in parentheses.

1. En la tienda de ropa _____ (vender) pantalones.

2. _____ (comer) muy bien en el restaurante de la esquina.

3. ¡Aquí _____ (hablar) español!

4. ¿Cómo _____ (decir) «monkey» en español?

5. En la clase de español _____ (aprender) español.

6. En esta casa _____ (oír) buena música.

7. En la panadería de la esquina _____ (comprar) el mejor pan.

8. Aquí _____ (hacer) comidas especiales.

III. El diminutivo

Write the diminutive form of each word in parentheses.

1. Hace años mi abuela tenía un _____ (gato) en su casa.

2. Cuando Luis era pequeño, un gato le arañó en el _____ (brazo).

3. Cuando yo tenía dos años, un perro me mordió el _____ (dedo).

4. La familia Vega tiene una _____ (casa) en la playa.

5. Mi hermano tiene una _____ (amiga).

6. El _____ (hermano) de Marisol tiene cinco meses.

7. Mi amiga me dio unas _____ (flores) rojas.

8. Ayer rompí una _____ (taza) de porcelana.

IV. Los adjetivos posesivos enfáticos

A. Use the information below and appropriate stressed possessive adjectives to write sentences. Follow the model.

Modelo: televisor / nosotros
El televisor es nuestro.

1. El cuadro / él _____

2. Los libros / ellos _____

3. Estos tratados / nosotros _____

4. Ese cuaderno / tú _____

5. La computadora / ella _____

6. El perrito / yo _____

7. Esta escuela / nosotros _____

8. La casa / tú _____

B. *Use stressed possessive adjectives to show ownership in the following sentences.*

1. Esos animales son de él. _____

2. Los pantalones son de ella. _____

3. Estos papeles no son de nosotros. _____

4. Aquel auto es de mi vecino. _____

5. Estas sillas son de nosotros. _____

6. Aquella guitarra era de mi abuelo. _____

V. Los pronombres posesivos

A. *Fill in the blanks below with appropriate possessive pronouns.*

1. Tu bicicleta es buena, pero me gusta más _____ (yo).

2. Encontré mi libro, pero no pude encontrar _____ (ella).

3. No tenía un lápiz así que usé _____ (tú).

4. Ya comimos el pastel de ellos, pero aún queda _____ (nosotros).

5. Puedes usar mi auto si no ves _____ (ellos).

6. No quiero tu falda; tengo _____ (yo).

7. Mi salud está bien, pero me preocupa _____ (él).

8. Esta es mi calculadora. ¿Dónde está _____ (tú)?

B. *Mr. Martínez, who is in charge of the Lost-and-Found department at school, is showing the objects turned in during the last week. Follow the example and claim each object for the people in parentheses.*

Modelo: ¡Aquí hay unos lentes de sol! (yo)
　　　　　Son los míos.

1. ¡Aquí tengo unos pantalones de deporte! (ellos) _____

2. ¡Aquí hay una chaqueta! (yo) _____

3. ¡Aquí tengo un par de zapatos! (ella) _____

4. ¡Aquí hay un libro de español! (él) _____

5. ¡Aquí tengo unos bolígrafos! (nosotros) _____

6. ¡Aquí hay una cámara de fotos! (¡usted!) _____

7-3 Alegría ▲▲▲▲▲▲▲▲▲▲▲▲▲▲▲▲▲▲▲▲▲▲▲▲▲▲▲▲▲▲▲▲▲▲▲▲▲▲▲

I. Vocabulario

A. *Read Genesis 1 and fill in the blanks.*

Dios comenzó su _____ separando la luz de las tinieblas. Y llamó Dios a la luz Día y a las tinieblas Noche.

El segundo día Dios creó:

1. Una parte grande y muy alta de color azul llamada el _____ en donde se forman masas de vapores llamadas las _____ que producen la lluvia y la nieve.

El tercer día, ¿qué creó Dios?

Sigue las claves:

2. Tienen hojas verdes, tallos y raíces. Son las _____.

3. Tienen pétalos y existen en todos los colores. Son las _____.

4. Dios también creó la tierra y el _____.

El cuarto día Dios creó:

5. Una luz grande, amarilla o anaranjada que alumbra de día. Es el _____.

6. Una luz pequeña, blanca o plateada que alumbra de noche. Es la _____.

7. Muchas luces pequeñas que también alumbran de noche. Son las _____.

El quinto día Dios creó:

8. Animales con plumas, dos alas y un pico. Son las _____.

9. Animales que viven en el agua. Son los _____.

El sexto día, ¿qué creó Dios?

10. Todas las bestias y los animales del campo. Dios también creó al _____.

Y el séptimo día, ¿qué hizo Dios? Dios _____.

B. *Search for vocabulary terms.*

i	d	é	s	o	n	s	e	r	o	l	f
d	c	o	s	n	a	c	s	e	d	u	p
e	i	r	ñ	s	e	b	u	n	o	n	l
r	e	q	e	p	p	o	ó	n	h	a	a
b	l	w	ü	a	e	i	z	o	ó	v	n
m	o	r	r	o	c	w	y	d	n	e	t
o	ñ	d	h	a	e	i	k	l	b	s	a
h	j	s	e	t	s	w	ó	l	r	b	s
ó	g	r	a	m	s	e	l	m	o	á	t
a	c	o	s	a	l	l	e	r	t	s	e

Textbook Exercises

II. Los pronombres demostrativos neutros

Use expressions from **Actividad 1** *on page 206 of the textbook to indicate your reactions to the following statements.*

1. ¡Ese hombre mide casi tres metros! _____

2. Carlos tuvo un accidente. _____

3. La clase tiene cincuenta estudiantes. _____

4. Los hombres del pueblo tuvieron una pelea. _____

5. Tengo veinticinco autos nuevos. _____

6. Mi abuela tiene una piscina en su casa. _____

III. El uso de lo que

Alfonso is telling everybody what to do! Write what he says. Follow the model.

> *Modelo:* hacer / decir
> ¡Haz lo que yo digo!

1. beber / servir _____

2. limpiar / ensuciar _____

3. recoger / tirar _____

4. contestar / preguntar _____

IV. Qué + sustantivo, adjetivo o adverbio

Use expressions from page 207 of the textbook to indicate your reactions to the following statements.

> *Modelo:* No pude entrar en el zoológico.
> ¡Qué pena!

1. Había tanta gente que yo no podía encontrar la salida. _____

2. Gané el primer premio en el concurso de español. _____

3. Mi madre perdió su anillo. _____

4. Me caí delante de todos los chicos. _____

5. El asesino mató a cuatro personas antes de ser detenido. _____

6. No dejan nadar en la playa a menores de catorce años. _____

7. El camino a tu casa es muy complicado. _____

8. Estamos aprendiendo muchas cosas nuevas. _____

V. Lo + adjetivo

Rewrite the sentences from the previous activity using the structure **lo** *+ an adjective this time. See page 207 of the text for examples. Follow the model.*

> *Modelo:* No pude entrar en el zoológico.
> Lo malo es que no pude entrar en el zoológico.

1. _____

2. _____

3. _____

4. _____

5. _____

6. _____

7. _____

8. _____

VI. Vocabulario adicional

Write the noun that is related to each adjective.

1. Eléctrico: _____

2. Difícil: _____

3. Personal: _____

4. Nacional: _____

5. Seguro: _____

6. Real: _____

7. Especial: _____

8. Feliz: _____

Capítulo Ocho

8-1 Una Visita al Médico ▲▲▲▲▲▲▲▲▲▲▲▲▲▲▲▲▲▲▲▲▲▲▲▲▲▲▲▲▲▲▲▲

I. Vocabulario

A. *Label the following illustration with appropriate vocabulary terms.*

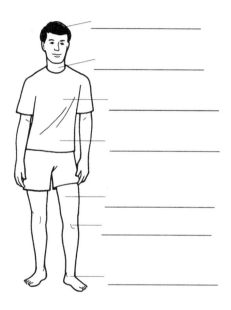

_____

_____

_____

_____

_____

_____

B. *Unscramble the following vocabulary terms and write them in the blanks provided. Remember to include accent marks where appropriate.*

1. lordlia _____

2. cehpo _____

3. unca _____

4. noitnsiet _____

5. nplmeuos _____

6. blitolo _____

7. aqturae _____

8. mehrou _____

9. odhgia _____

10. ulmso _____

11. urcanit _____

12. rzcaono _____

C. *Complete each sentence with an appropriate vocabulary term.*

1. Cuando me duele la cabeza, digo que tengo _____.

2. Cuando tengo _____, me tomo la temperatura con un termómetro.

3. Después de hacer ejercicio, me tomo la _____.

4. Cuando levanto cosas muy pesadas, tengo dolor de _____.

5. Si como demasiado, tengo _____.

6. Cuando estoy resfriado, _____ y _____.

II. El presente perfecto

A. *Some day Ramón would like to be a medical doctor just like his uncle. Use the information given to write the questions Ramón asks his uncle.*

1. Tener / muchos cursos de ciencia en la escuela superior _____

   _____

2. Estudiar / muchos años en la universidad _____

   _____

3. Sacar / notas altas en las clases _____

   _____

4. Pasar / momentos difíciles _____

   _____

5. Ayudar / muchas personas enfermas _____

   _____

6. Encontrar / la voluntad de Dios para tu vida _____

   _____

B. *Andrés had surgery two days ago. He is telling his friend Rubén all about it. Play the role of Andrés by using the present perfect tense of the verb to write sentences for the following infinitive phrases.*

1. Descansar todo el día _____

   _____

2. Tomar medicamentos cinco veces al día _____

   _____

3. Dormir doce horas al día _____

   _____

4. Recibir muchos regalos _____

   _____

5. Conocer a mucha gente _____

   _____

6. Tener una operación difícil y aprender a ser paciente _____

   _____

C. *Survey your classmates to find those that have done the things listed below. Have them write their initials on the corresponding blank. See if you can get initials to complete the entire list.*

1. _____ Ha tenido una operación en la rodilla.

2. _____ Se ha fracturado una costilla.

3. _____ Nunca ha tenido dolor de espalda.

4. _____ Ha tenido dolor de cabeza esta semana.

5. _____ Nunca se ha desmayado.

6. _____ Ha estado enfermo(a) este mes.

7. _____ Nunca le han sacado sangre.

8. _____ Ha tenido problemas del estómago.

9. _____ Ha tenido problemas del riñón.

10. _____ Nunca se ha fracturado un hueso.

11. _____ Nunca ha estado en un hospital.

12. _____ Siempre ha tenido buena salud.

D. *Answer the following questions according to the cues provided.*

1. ¿Has ido a Puerto Rico alguna vez?

   No, nunca _____

2. ¿Has aprendido algún idioma extranjero?

   Sí, _____

3. ¿Has jugado al fútbol este año?

   Sí, _____

4. ¿Has cantado en el coro de tu iglesia?

   No, nunca _____

5. ¿Has comido en un restaurante hispano últimamente?

   No, _____

III. El participio pasado de verbos como leer

Fill in each blank with the appropriate past participle of the verb in parentheses.

1. Un gato se ha _____ (caer) en el pozo.

2. Todos los chicos nos hemos _____ (reír).

3. Margarita nos ha _____ (oír).

4. Mi madre lo ha _____ (leer) en el periódico.

5. ¿Has _____ (creer) esta historia?

6. Pues tú has _____ (caer).

IV. Vocabulario adicional

Fill in the chart with corresponding verbs, adjectives, or nouns.

VERBO	ADJETIVO	SUSTANTIVO
adorar		
		explicación
imaginar		
	aparente	
	receptivo	
sentir		
	unido	

8-2 La Farmacia Nueva ▲▲▲▲▲▲▲▲▲▲▲▲▲▲▲▲▲▲▲▲▲▲▲▲▲▲▲▲▲▲▲

I. Vocabulario

A. Play the role of the pharmacist and give the clients what they need.

Modelo: Me siento muy débil.
　　　　Aquí tiene unas vitaminas.

1. Tengo dolor de cabeza. También me duele la espalda. _____

_____

2. Mi hijo tiene una infección en el pie. _____

_____

3. Tengo dolor de estómago. _____

_____

4. No me siento bien, pero no puedo tomar jarabe. Tampoco puedo dormir. _____

_____

II. Los participios pasados irregulares

Fill in each blank with the appropriate present perfect form of the verb in parentheses.

Mi amigo Tomás me _____ (escribir) desde el hospital. Me _____

(decir) que se _____ (romper) una pierna en un accidente automovilístico.

Esta semana los doctores _____ (descubrir) que también se _____

_____ (fracturar) dos costillas. Le _____ (hacer) varios exámenes,

y los doctores _____ (ver) todas las radiografías. Parece que no tiene más

problemas. Le _____ (poner) un yeso en la pierna y un vendaje en las cos-

tillas. No _____ (volver) a descubrir nada más, pero le _____

(decir) que la persona con quién chocó _____ (estar) en cuidado intensivo.

III. Más expresiones de tiempo

Rewrite the following sentences using appropriate expressions of time.

1. Rafael tenía una bicicleta, pero se la quitaron. _____

_____

2. Mi madre no ha ido al médico, pero va a ir pronto. _____

_____

3. Estoy estudiando desde las doce. _____

_____

4. ¡No voy a volver a hablar con Jorge! _____

_____

5. He terminado el libro. _____

_____

8-3 ¡Pobre Juan! ▲▲▲▲▲▲▲▲▲▲▲▲▲▲▲▲▲▲▲▲▲▲▲▲▲▲▲▲▲▲▲▲▲▲▲▲▲

I. Vocabulario

Fill in the blanks below with appropriate vocabulary terms from pages 223 and 224 of the textbook.

Ha habido un gran _____ en la carretera. La policía y los voluntarios

de la _____ ya estaban allí cuando yo llegué. Uno de los testigos estaba

contando lo que sucedió. Decía que venían tres autos por la carretera. Dos autos venían

en _____. El tercer auto trató de _____ al

auto que venía en frente de él. No lo pudo hacer, y los tres autos chocaron. Todo sucedió

muy rápidamente. Uno de los hombres que no llevaba puesto el _____

_____ sufrió unas _____ bastante graves. La cruz

roja ayudó con los _____ _____. ¡Mira! Acaba de llegar

la _____ para llevar a los heridos al _____. ¡Esta

carretera es un verdadero _____!

II. El pluscuamperfecto

A. *Nora must report all that had happened by the time she arrived at the scene of the accident. Use the pluperfect tense to play her part.*

1. el accidente / ocurrir a las tres de la tarde _____

   _____

2. la policía / llegar _____

   _____

3. ellos / encontrar un testigo _____

   _____

4. la cruz roja / llegar _____

   _____

5. ellos / abrir los autos y dar los primeros auxilios a los heridos _____

   _____

B. *Fill in the blanks below with the pluperfect form of the verbs in parentheses.*

1. Nosotros _____ (comer) en un restaurante.

2. Ellos _____ (visitar) a sus tíos.

3. Yo _____ (comprar) un auto nuevo.

4. Ustedes _____ (ir) a la playa.

5. Nosotros _____ (asistir) a la iglesia.

6. Ellos _____ (tener) un accidente.

7. Ella _____ (oír) las noticias.

8. Tú _____ (leer) el periódico.

III. Expresiones afirmativas y negativas

A. *Fill in the blanks below with appropriate affirmative and negative expressions.*

Son las once de la mañana. Alejandro está muy cansado. Tiene fiebre y dolor de estómago _____. No quiere levantarse para nada y _____ quiere ir a la escuela. _____ quiere salir de su cuarto. _____ más no quiere comer nada hoy. De hecho, no comió nada el día anterior _____. A la verdad, él está muy enfermo. ¡Pobre Alejandro!

B. *Write* aun *or* aún *in the space provided to give the correct meaning to the sentences below.*

1. Mi hermano siempre habla—¡_____ con la boca llena!

2. La profesora nos manda tareas _____ cuando tenemos exámenes.

3. Mi amigo Luis _____ no ha vuelto de la escuela.

4. Raúl lleva pantalones cortos _____ cuando hace frío.

5. ¡Es un secreto! No mires _____.

6. ¡Son las once de la mañana! Marcos está durmiendo _____.

7. ¿_____ estás comiendo? ¿Cuándo vas a terminar?

8. ¡Nos encanta el fútbol! Jugamos _____ cuando estamos cansados.

Capítulo Nueve

9-1 Sueños ▲▲▲▲▲▲▲▲▲▲▲▲▲▲▲▲▲▲▲▲▲▲▲▲▲▲▲▲▲▲▲▲▲▲▲▲▲

I. Vocabulario

A. *Write sentences telling the occupation of each person in the following illustrations.*

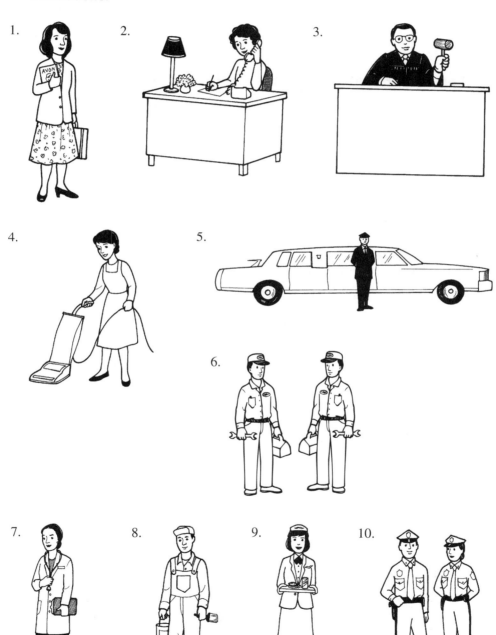

1. _____

2. _____

3. _____

4. _____

5. _____

6. _____

7. _____

8. _____

9. _____

10. _____

B. Match each definition with its corresponding vocabulary term.

_____ 1. Uno que arregla autos   A. Arquitecto(a)

_____ 2. Uno que cuida pacientes   B. Mecánico

_____ 3. Uno que pinta cuadros   C. Dentista

_____ 4. Uno que hace experimentos   D. Abogado(a)

_____ 5. Uno que trabaja con números   E. Contador(a)

_____ 6. Uno que escribe novelas   F. Escritor(a)

_____ 7. Uno que diseña edificios   G. Obrero(a)

_____ 8. Uno que construye edificios   H. Artista

_____ 9. Uno que arregla dientes   I. Científico(a)

_____ 10. Uno que defiende a los acusados   J. Enfermero(a)

       en la corte

II. El futuro: las formas regulares

A. Luis and Raquel are talking about their classmates' futures. Use the information given to tell what each person plans to do.

1. Yo / trabajar en la construcción _____

_____

2. Laura / tomar clases de aviación _____

_____

3. Nosotros / tocar instrumentos en una orquesta _____

_____

4. Tú / cantar en una ópera _____

_____

5. Marcos / ayudar a su padre en su negocio _____

_____

6. Rodrigo / tener una empresa _____

_____

7. Marta / ser gerente de un restaurante _____

_____

8. Miguel / viajar por todo el mundo _____

_____

B. Marta's Spanish class will go on a zoo trip tomorrow morning. Marta is very excited, and tonight she writes about her expectations in her diary. Fill in the blanks with the future tense of the verbs in parentheses.

Mañana mi clase _____ (visitar) el zoológico. _____ (ir) a la sección general donde hay elefantes y jirafas. Nos _____ (dividir) en grupos; cada grupo _____ (escribir) un reportaje. Todos _____ (ver) las focas y los delfines. ¡Estoy muy contenta! No sé si _____ (dormir) esta noche. Me _____ (levantar) temprano mañana y _____ (preparar) la comida para el viaje. Mi amiga Ana Laura me_____ (llevar) en su auto y _____ (ser) las primeras en llegar a la escuela.

III. El futuro: las formas irregulares

A. Write the future tense of the verbs in parentheses.

1. No sé si _____ (poder) jugar al fútbol esta temporada.

2. María no _____ (venir) hasta las doce.

3. No sé si Noelia _____ (querer) participar.

4. ¿Crees que _____ (haber) suficiente comida para todos?

5. Unos _____ (tener) que compartir.

6. Otros _____ (salir) a comprar comida.

7. Los camareros _____ (poner) la comida en las mesas.

8. Yo _____ (hacer) todo lo posible para agradar a todos los participantes.

B. Complete each sentence with the future tense of the most appropriate verb. Choose from the following list: decir, haber, hacer, poner, saber, salir, tener, venir. Use each verb once.

1. El profesor se fue de vacaciones; no _____ hasta el jueves.

2. Mi clase va al museo mañana; nosotros _____ a las ocho.

3. Mañana me _____ los pantalones azules.

4. Es un día bonito; _____ mucha gente en el zoológico.

5. Eso es lo que digo yo; no sé lo que _____ mi amigo.

6. No sabemos si nuestra idea funcionará, pero _____ lo posible.

7. Hay una reunión a las cinco; _____ que salir pronto.

8. Se me olvidó la respuesta correcta. ¿Crees que Alfredo la _____?

IV. El futuro: para indicar probabilidad

Susanita is always wondering about everything! Complete her questions by writing the future tense of the verbs in parentheses.

1. ¿Dónde _____ (estar) mis llaves?

2. ¿Cuándo _____ (llegar) la carta de Tomás?

3. ¿Me _____ (escribir) mi hermana?

4. ¿Qué hora _____ (ser)?

5. ¿Quién _____ (contestar) la llamada?

6. ¿Adónde _____ (ir) nosotros esta noche?

7. ¿Quién _____ (ganar) el concurso?

8. ¿Por qué me _____ (pasar) esto a mí?

V. Por + sustantivo

A. *Rewrite the following sentences using the word* por.

1. Me duele la cabeza a causa de la gripe que tengo. _____

   _____

2. El policía camina alrededor de nuestro barrio todos los días. _____

   _____

3. Entregué mi libro de francés a cambio de uno de español. _____

   _____

4. La carretera estaba cortada debido a la nieve. _____

   _____

5. Estuve viajando durante cuatro meses. _____

   _____

6. La carretera pasa a través de todo el país. _____

   _____

7. La Sra. Gómez enseñó la clase en lugar de mi profesor. _____

   _____

8. El delegado habló en representación de toda la clase. _____

   _____

B. *There's a big sale going on at the mall! Write out the discount amounts.*

1.
2.
3.

4.
5.
6.

1. _____
2. _____
3. _____
4. _____
5. _____
6. _____

C. *Do not exceed the speed limits! Write out the speed limits of the following signs using the word* **por.**

Modelo: Setenta y cinco
kilómetros por hora **75**

1. **60**
2. **80**
3. **100**

4. **120**
5. **20**
6. **50**

1. _____
2. _____
3. _____
4. _____
5. _____
6. _____

9-2 Una carta al rector ▲▲▲▲▲▲▲▲▲▲▲▲▲▲▲▲▲▲▲▲▲▲▲▲▲▲▲▲▲▲

I. Vocabulario

A. *Fill in the blanks in the dialogue below with appropriate vocabulary terms.*

Carlos, un joven estudiante universitario, se dirige a la _____ de la Universidad de Salamanca para hablar con el rector.

Rector: Buenos días. ¿En qué puedo ayudarle?

Carlos: Me quisiera _____ en esta universidad, pero no tengo suficiente dinero para los _____ de matrícula.

Rector: ¿Viene para solicitar una _____?

Carlos: Sí, señor.

Rector: ¿En qué se quiere _____?

Carlos: Quisiera estudiar ingeniería.

Rector: ¿Cumple usted todos los _____?

Carlos: Creo que sí. Quisiera tomar un examen para convalidar algunos cursos de ingeniería que ya aprobé a nivel _____.

Rector: Todos los cursos de ingeniería convalidan.

Carlos: ¡Eso es estupendo! ¿Qué piensa usted de la beca? ¿Cree que será posible obtenerla?

Rector: He mirado su informe y pienso que no habrá ningún problema.

Carlos: ¡Muchas gracias, señor rector!

B. *Write the names of the courses in which the following facts are taught.*

1. $45 + 15 = 60$ _____

2. El río más largo del mundo es el Nilo. _____

3. El Siglo de Oro español fue el siglo XVI. _____

4. El oro es un elemento de la tabla periódica. _____

5. Trabajo = fuerza x movimiento _____

6. Los ángulos y triángulos _____

7. El corazón es un órgano del cuerpo. _____

8. Colón descrubió América en 1492. _____

9. $32a + 4a = 36a$ _____

10. ¿Por qué existo? ¿De dónde vengo? ¿Adónde voy? _____

11. Las conjugaciones de los verbos _____

12. Las reglas del fútbol _____

II. El condicional

A. Write the conditional form of the regular verbs given in parentheses.

1. Luis dijo que el programa _____ (empezar) a las ocho.

2. ¿Le _____ (importar) ayudarme con estas cajas?

3. Me _____ (gustar) mucho volver a las montañas.

4. Me pregunto si _____ (ir) conmigo a la iglesia mañana por la mañana.

5. A mi madre le _____ (encantar) visitar Jerusalén.

6. Margarita _____ (deber) estudiar para el examen de mañana.

7. ¿Qué _____ (comer) en el restaurante más caro del mundo?

8. ¿Crees que Rosa _____ (cantar) un número especial en la iglesia?

B. Write the conditional form of the irregular verbs given in parentheses.

1. ¿Me _____ (poder) decir dónde está el banco?

2. ¿Qué _____ (hacer) tú con cien pasteles de cumpleaños?

3. Roberto me dijo que _____ (venir) a las dos.

4. No sé lo que _____ (decir) el profesor.

5. El camarero dijo que _____ (poner) mucha sal en el filete.

6. Me imaginé que _____ (haber) mucha gente en el mercado.

7. Marcos dijo que _____ (tener) el auto listo para la hora del almuerzo.

8. ¿_____ (salir) tú en un programa de televisión?

C. Determine the use of the conditional in each situation.

1. Yo dije que no haría la tarea esta mañana. _____

   _____

2. ¡Hace calor! ¿Te gustaría tomar un helado? _____

   _____

3. ¿Le gustaría venir conmigo? _____

   _____

4. ¿Qué compraría mi vecina en la tienda la semana pasada? _____

   _____

5. ¿Qué harías con un elefante en la sala de clase? _____

   _____

6. Se anunció que el tren llegaría tarde anoche. _____

   _____

7. ¿Podría usted mover su auto de la entrada? _____

   _____

D. *Write a polite request or suggestion for each situation.*

1. Invite a friend to come eat lunch with you tomorrow: _____

   _____

2. Tell someone he should clean the chair: _____

   _____

3. Ask someone to tell you where the park is: _____

   _____

4. Invite a friend to sing in church with you: _____

   _____

5. Ask someone to play soccer with your team: _____

   _____

6. Tell your little sister she ought to give you the car keys: _____

   _____

7. Ask someone to pray for you: _____

   _____

8. Tell a classmate she should read a book: _____

   _____

9-3 ¿Qué hacemos con el tiempo? ▲▲▲▲▲▲▲▲▲▲▲▲▲▲▲▲▲▲▲

I. Vocabulario

Fill in the blanks below with appropriate vocabulary terms. Choose from the following list: **aprovechar, gastar, malgastar.**

1. Dios dice en Efesios 5:16 que debemos _____ bien el tiempo.

2. ¿Cuánto tiempo _____ tú en asuntos que no glorifican a Dios?

3. ¿Cuánto tiempo _____ leyendo la Palabra de Dios?

4. ¿_____ las oportunidades de servicio que Dios te da cada día?

5. Debes _____ más tiempo con Él para no _____ el tiempo con

   cosas que no valen para la eternidad.

II. El futuro perfecto

Use the information given below to write sentences telling what each person will have done by his or her next birthday.

1. Rebeca / graduarse de la escuela superior _____

   _____

2. Francisco / ir a China como misionero _____

   _____

3. Beto / casarse con una muchacha muy bonita _____

   _____

4. David y Maribel / viajar a España _____

   _____

5. Antonio / aprender a hablar inglés _____

   _____

6. Fernando / escribir una novela _____

   _____

7. Olga / entrar a la universidad _____

   _____

8. Tú / terminar la tarea _____

   _____

III. El futuro perfecto: para indicar probabilidad

A. *Roberto is wondering what he and his friends will have done before the weekend. Use the following information to ask his questions.*

1. Teresa / comprar los sellos _____

   _____

2. Pablo / arreglar la moto _____

   _____

3. Los chicos / estudiar para el examen _____

   _____

4. Nosotros / recoger la basura _____

   _____

5. Lorena / estar enferma _____

   _____

6. Las chicas / oír las noticias _____

   _____

7. Tú / llegar tarde _____

   _____

8. Yo / dormir demasiado _____

   _____

B. *Write a question for each sentence. If necessary, use object pronouns as in the model.*

   Modelo: Mateo tenía que escribir una carta al embajador.
         ¿Se la habrá escrito?

1. Rocío tenía que cantar en la iglesia. _____

   _____

2. Ramón iba a arreglar la ventana. _____

   _____

3. Los estudiantes tenían que volver hoy. _____

   _____

4. Verónica iba a enviar el paquete. _____

   _____

5. Samuel quería ir a la fiesta. _____

   _____

6. Tamara tenía que empezar a las dos. _____

   _____

7. Nosotros queríamos ganar el concurso. _____

   _____

IV. La preposición para

A. *Give a function of the following items using the preposition* para.

Modelo: Tenedor: El tenedor sirve para comer arroz.

1. La cuchara: _____

   _____

2. Los vasos: _____

   _____

3. Los libros: _____

   _____

4. El lápiz: _____

   _____

5. Los oídos: _____

   _____

6. La mente: _____

   _____

7. La escoba: _____

   _____

8. Los pies: _____

   _____

B. *In the blank following each sentence tell whether the purpose or destination indicated by the preposition* para *is a person, an object, a place, a point in time, an event, or an action.*

1. Voy a aprender español para testificar a los hispanos. _____

2. El ramo de flores es para Cecilia. _____

3. La familia Rodríguez sale para Puerto Rico mañana. _____

4. En marzo voy al Uruguay para la boda de mi hermano. _____

5. Ya estoy pensando en mis planes para el año que viene. _____

6. Yo estudio para sacar buenas notas. _____

7. Mi amiga sale para la iglesia a las nueve y media cada domingo. _____

8. Los estudiantes ahorran dinero para una fiesta. _____

9. Tú compras sellos para las cartas. _____

10. Dorcas hacía ropa para los pobres. _____

Capítulo Diez

10-1 Una receta para flan ▲▲▲▲▲▲▲▲▲▲▲▲▲▲▲▲▲▲▲▲▲▲▲▲▲▲▲▲▲▲

I. Vocabulario

A. *Lorenzo is explaining to Rosa how to make flan. Complete his instructions with appropriate vocabulary terms.*

1. Para hacer el caramelo tienes que _____ el azúcar.

2. Tienes que _____ el caramelo en el molde antes de la mezcla.

3. Tienes que batir los _____ para mezclar las _____ y las claras.

4. Debes _____ los ingredientes con mucho cuidado.

5. Lo que le da el sabor dulce es el _____.

6. Debes _____ el azúcar y la _____ a los huevos batidos.

7. Tienes que _____ todos los ingredientes.

8. Tienes que colocar el molde del flan en un recipiente _____.

9. Debes _____ el flan a 350°F por una hora.

10. Tienes que _____ el flan del horno y colocarlo en la _____ por varias horas para que se enfríe. ¡Buen provecho!

B. *Find twelve vocabulary terms related to* flan.

f	o	e	d	l	o	m	h	i	m	j	r
ñ	**l**	l	y	n	f	r	e	a	v	i	l
r	a	**a**	l	é	s	e	r	e	t	c	h
i	l	w	**n**	e	t	i	i	a	v	k	u
t	p	e	j	o	b	f	b	s	e	v	e
e	k	a	c	e	l	z	a	c	r	ñ	v
r	g	ü	l	h	b	e	d	f	t	l	o
r	a	l	c	z	e	m	m	h	e	a	s
e	m	o	t	f	j	l	f	a	r	s	q
d	a	l	l	i	n	i	a	v	r	ó	x
h	l	m	t	p	ñ	f	h	h	e	a	r
a	z	ú	c	a	r	e	c	k	l	f	c

II. El imperativo: las formas afirmativas de Ud. y Uds.

As a family doctor, Dr. Rivera always tries to give good advice to his patients. Write what he says using the information given and the usted *or* ustedes *command forms.*

1. descansar bien unos días _____

_____

2. tomar la medicina cada día _____

_____

3. hacer un viaje a las montañas _____

_____

4. dormir ocho horas cada noche _____

_____

5. buscar un trabajo más tranquilo _____

_____

6. nadar cuatro veces a la semana _____

_____

7. hablar con la familia acerca del problema _____

_____

8. venir a la consulta el mes que viene _____

_____

III. El imperativo: las formas irregulares de Ud. y Uds.

Rewrite the following sentences to make them imperative. Notice that there are irregular as well as regular verbs.

Modelo: Todos tienen que comprar el libro.
Compren el libro.

1. Para mañana todos deben saber el versículo bíblico de memoria. _____

_____

2. Todos deben estar en los autobuses a las siete en punto. _____

_____

3. Todos tienen que ir al concierto de mañana. _____

_____

4. Usted debe dar gracias por los regalos. _____

_____

5. Deben ser amables con los estudiantes nuevos. _____

_____

6. Todos tienen que estudiar con diligencia. _____

_____

7. Usted debe saber lo que sucedió en la primera guerra mundial. _____

_____

8. Todos deben estar agradecidos por las cosas que Dios les da. _____

_____

IV. El imperativo: la forma tú afirmativa

There is always a list of things to do in the office! Play the role of the boss and assign tasks to the following people. Please do not forget to say please!

> *Modelo:* Miguel / cerrar las ventanas
> Miguel, cierra las ventanas, por favor.

1. Miguel / escribir la carta de negocios al señor Rodríguez _____

_____

2. Marcos / recoger los papeles del suelo _____

_____

3. Rosa / mandar las invitaciones para la fiesta _____

_____

4. Fernando / llamar al señor Fernández _____

_____

5. Rosa / pasar el informe a máquina _____

_____

6. Miguel / ordenar los papeles que hay en la mesa _____

_____

7. Marcos / cancelar la cita con la señora Díaz _____

_____

8. Fernando / cambiar la reserva de hotel en La Habana _____

_____

V. El imperativo: la forma tú irregular

Write sentences in the imperative using the information provided. Notice that there are irregular as well as regular verbs.

> *Modelo:* abrir la puerta
> ¡Abre la puerta!

1. salir del armario _____

_____

2. decir la poesía de memoria _____

_____

3. lavar los platos _____

_____

4. hacer las compras para la fiesta _____

_____

5. venir a mi casa a tomar café _____

_____

6. poner el mantel en la mesa _____

_____

7. volver pronto de la reunión de jóvenes _____

_____

8. tener paciencia _____

_____

VI. El imperativo: la forma vosotros

Fill in the blanks in the Bible passage below with the vosotros imperative form of the verbs in parentheses.

_____ (mirar) que ninguno pague a otro mal por mal; antes _____ (seguir) siempre lo bueno unos para con otros, y para con todos. _____ (estar) siempre gozosos. _____ (orar) sin cesar. _____ (dar) gracias en todo, porque esta es la voluntad de Dios para con vosotros en Cristo Jesús. (I Tesalonicenses 5:15-18)

10-2 Las direcciones ▲▲▲▲▲▲▲▲▲▲▲▲▲▲▲▲▲▲▲▲▲▲▲▲▲▲▲▲▲▲▲▲▲▲

I. Vocabulario

Complete each statement with an appropriate vocabulary term.

1. Margarita necesita comprar pan; va a la _____.

2. Estela piensa hacer un pastel de manzana; va a la _____.

3. Miguel quiere comprar un anillo de compromiso; va a la _____.

4. A René le encantan los quesos; siempre va a la _____.

5. Tito quiere regalarle un juego a su hermanito; va a la _____.

6. Maribel necesita una pila para su reloj; va a la _____.

7. Oscar necesita una copia de una llave; va a la _____.

8. Sandra quiere comprar un cuaderno; va a la _____.

9. Andrea invita a su amiga a comer un helado; van a la _____.

10. Sebastián quiere comprar lechuga para una ensalada; va a la _____.

II. El imperativo: las formas negativas de Ud. y Uds.

A. *The people in the small town of Sauce are posting signs asking others not to do various things. Pretend you are one of those people and write negative imperative sentences with the information provided. Be polite and say please each time.*

1. doblar a la derecha _____

_____

2. caminar por la carretera _____

_____

3. gritar en la calle _____

_____

4. tirar basura en la calle _____

_____

5. ir descalzo por la ciudad _____

_____

6. cruzar la calle cuando el semáforo está en rojo _____

_____

7. escribir en las paredes _____

_____

8. desobedecer a los policías _____

_____

B. *Write a negative imperative sentence in the* ustedes *form for each sign below. Choose verbs from the following list:* adelantar, beber, cantar, comer, entrar, estacionar, hablar.

1. _____
2. _____
3. _____
4. _____
5. _____
6. _____
7. _____

1.

2.

3.

4.

5.

6.

7.

III. El imperativo: las formas negativas de tú

Your friend Roberto is always talking about how much he wants to improve his lifestyle. Give him advice using the negative tú *imperative form of the following verbs in parentheses. Notice that there are irregular as well as regular verbs.*

1. No _____ (beber) tantos refrescos.

2. No _____ (comer) tantos dulces.

3. No _____ (ir) a la heladería cada tarde.

4. No _____ (ser) perezoso los fines de semana.

5. No _____ (hablar) tanto. ¡Haz algo!

IV. El imperativo: la posición de los pronombres

A. *Your friends are asking you for advice. Answer their questions in the imperative form using the cues provided. Use object pronouns.*

1. ¿Compro ese libro? (no) _____

2. ¿Canto la canción nueva el domingo? (sí) _____

3. ¿Mando la carta a la embajada? (sí) _____

4. ¿Te leo el poema que escribí para ti? (sí) _____

5. ¿Le anuncio las noticias a toda la clase? (no) _____

6. ¿Les cuento la historia a ellos? (no) _____

7. ¿Repito la pregunta? (sí) _____

8. ¿Hago la tarea? (sí) _____

B. *Write commands that are the opposite of the commands given. Follow the model.*

Modelo: ¡Vende los billetes!
¡No los vendas!

1. ¡Cómete la comida de anoche! _____

2. ¡Pídele el favor a mi padre! _____

3. ¡Publica las noticias! _____

4. ¡Duérmete! _____

5. ¡Mira las fotos! _____

6. ¡Dame las cartas de tu amiga! _____

7. ¡Llévame a la tienda! _____

8. ¡Recoge los juguetes! _____

10-3 Las especialidades ▲▲▲▲▲▲▲▲▲▲▲▲▲▲▲▲▲▲▲▲▲▲▲▲▲▲▲▲▲

I. Vocabulario

Complete each sentence with the name of a specialty from the country mentioned.

1. Voy a Puerto Rico, y voy a comer _____

2. Quiero visitar a Uruguay para probar _____

3. Iré a México para comer _____

4. Voy a un restaurante en España para comer _____

5. Voy a ir a Colombia para comer _____

6. Ven a Argentina para comer _____

7. Vamos al Caribe para probar _____

8. ¿Quieres ir a Nicaragua para comer _____

II. El imperativo: la forma nosotros (a softened request)

A. *Your friends are trying to decide what they are going to do this weekend. Write their suggestions in the nosotros imperative form.*

1. ir a la playa _____

   _____

2. jugar al fútbol _____

   _____

3. salir a testificar _____

   _____

4. cantar en la plaza _____

   _____

5. ver el video de *Sheffey* _____

   _____

6. alquilar un automóvil para ir a la montaña _____

   _____

7. caminar por el parque _____

   _____

8. visitar a la abuela de Juan _____

   _____

B. *Write suggestions in response to the following comments.*

   Modelo: ¡Estoy aburrido!
   　　　　　¡Juguemos!

1. ¡Tenemos hambre! _____

2. ¡Tenemos sed! _____

3. ¡Rosita está enferma! _____

4. ¡Las flores se han caído! _____

5. ¡Tenemos sueño! _____

6. ¡Estamos cansados! _____

7. ¡Queremos comer pollo! _____

8. ¡Aquí hay papel para cartas! _____

III. Vamos a + infinitivo como mandato afirmativo

Rewrite the answers to the previous activity using the structure vamos a + an infinitive.

Modelo: ¡Estoy aburrido!
¡Vamos / vayamos a jugar!

1. _____

2. _____

3. _____

4. _____

5. _____

6. _____

7. _____

8. _____

IV. El presente del subjuntivo: los mandatos indirectos

A. *Complete the following indirect commands with the subjunctive form of the verbs in parentheses.*

1. El director del coro desea que yo _____ (cantar) este domingo.

2. Tu padre quiere que tú _____ (arreglar) la puerta.

3. Quiero que ustedes _____ (buscar) las llaves.

4. El profesor quiere que nosotros _____ (escribir) cartas al periódico.

5. Mi madre insiste en que mi hermanito _____ (comer) las verduras.

6. ¿Quieres que yo _____ (preparar) la comida?

7. Raúl insiste en que ellos _____ (leer) un libro en español.

8. Los padres desean que sus hijos _____ (hacer) las tareas de la casa.

B. *Valeria has a list of things to do; she plans for everyone to help. Express her desires in indirect commands using the subjunctive mood and the information given. Follow the model.*

Modelo: limpiar la casa (tú)
Quiero que tú limpies la casa.

1. visitar a los abuelos (nosotros) _____

_____

2. probar un plato especial del Caribe (ellos) _____

_____

3. hablar español con ellos (tú) _____

_____

4. comer una comida típica hispana (tus amigos) _____

_____

5. limpiar la mesa (mi hermano) _____

_____

6. lavar los platos (tú) _____

_____

C. **Other expressions that can be used to give indirect commands are included in the following statements. Fill in the blanks with the subjunctive form of the verbs in parentheses.**

1. Luis prefiere que nosotros no _____ (salir) mucho.

2. El jefe exige que ellos _____ (trabajar) bien.

3. Andrés espera que tú le _____ (escribir) una carta.

4. Tú pides que yo _____ (encontrar) el mapa.

5. Me opongo a que él me _____ (desobedecer).

6. Sugiero que usted _____ (llegar) a tiempo.

7. Mis padres no permiten que nosotros _____ (beber) bebidas alcohólicas.

8. Necesitamos que cada cual _____ (hacer) su tarea hoy.

9. Si piensas viajar a Perú, recomiendo que _____ (estudiar) español.

10. Te ruego que _____ (cuidar) tu salud.

V. El presente del subjuntivo: formas regulares

A. **Complete the following sentences with the subjunctive form of the verbs in parentheses.**

1. Quiero hablar con mi amigo para que _____ (jugar) al fútbol conmigo.

2. Debo testificarle para que él también _____ (poder) ir al cielo.

3. Quiero que ellos _____ (cerrar) la puerta cuando salgan.

4. Amanda quiere que yo _____ (probar) las galletas que ella ha preparado.

5. Iremos a tu casa cuando tus padres _____ (volver).

6. Nos han dado el mapa para que no nos _____ (perder).

7. Puedes venir a nuestra casa cuando _____ (querer).

8. Juan Carlos quiere que tú le _____ (contar) lo que pasó.

B. **Fill in the blanks with the subjunctive form of the verbs in parentheses.**

1. Dios no quiere que nosotros _____ (mentir).

2. Espero que mi hermanito _____ (dormir) toda la tarde.

3. Recibiremos ayuda tan pronto como la _____ (pedir).

4. Espero que el testigo _____ (decir) la verdad.

5. Serviré al Señor hasta que me _____ (morir).

6. El carpintero quiere que nosotros _____ (medir *e>i*) la habitación.

7. El profesor nos ha dicho que _____ (seguir) estudiando hasta las doce.

8. El médico quiere que _____ (tomar) las pastillas para que me _____ (sentir) mejor.

C. ***Write the correct form of the verb in each sentence. The verbs may be in the indicative mood, the subjunctive mood, or the infinitive.***

1. Quiero que Andrea me _____ (decir) todo lo que sucedió.

2. Siento mucho no _____ (poder) ayudarle.

3. Cada vez que me _____ (sentir) enfermo voy al médico.

4. No me gusta que Miriam me _____ (mentir).

5. Ven a verme siempre que _____ (poder).

6. Rodrigo siempre _____ (querer) ser el mejor.

7. Mi madre quiere que mi hermano _____ (seguir) estudiando.

8. ¿Sabes dónde irás cuando _____ (morir)?

VI. El presente del subjuntivo: formas irregulares

Fill in the blanks with the subjunctive form of the verbs in parentheses.

Estimado amigo,

Te escribo esta carta porque es importante que yo _____ (dar) testimonio de lo que Dios me está enseñando. Es muy importante que nosotros ahora como jóvenes _____ (saber) cual es la voluntad de Dios para nuestras vidas. Es importante que nosotros _____ (estar) dispuestos a obedecer a Dios cada día. ¿Me preguntas cómo hacerlo? Pues, te lo diré.

En primer lugar, Dios quiere que nosotros _____ (ser) salvos por fe en lo que hizo Jesucristo por nosotros en la cruz del Calvario. Para ser salvos, debemos confesar nuestros pecados, pedir el perdón de Dios, y creer en Cristo.

En segundo lugar, Dios insiste que _____ (ser) sumisos a su Santa Palabra. Es importante leer la Biblia cada día. Para vivir vidas puras es indispensable que _____ (saber) lo que Dios dice. También es importante memorizar la Palabra de Dios para que no _____ (haber) pecado en nuestras vidas.

En tercer lugar, Dios quiere que nosotros _____ (dar) testimonio de su obra en nuestras vidas. Si no le obedecemos ahora, ¿cómo nos prepararemos para ir a donde Él quiere que _____ (ir)? Yo iré adonde Dios _____ (querer) que yo _____ (ir) porque sé que Él estará conmigo.

Capítulo Once

11-1 La oración ▲▲▲

I. Vocabulario

Using vocabulary terms, write what you would say in the following situations.

1. Begin a prayer. _____

2. Tell God that you are grateful for your parents. _____
_____

3. You are burdened for and ask God to save your friend Oscar. _____
_____

4. Ask the Lord to bless your family. _____
_____

5. Thank the Lord for this day. _____
_____

6. Ask Him for His protection. _____
_____

7. Thank God for giving you a house and a family. _____
_____

8. Ask Him to help you at school. _____
_____

9. Ask God to bless the missionaries in Paraguay. _____
_____

10. Finish the prayer. _____
_____

II. El presente del subjuntivo: los verbos irregulares

A. *Write the subjunctive form of each verb in parentheses.*

1. Espero que el pollo _____ (estar) a tu gusto.

2. El señor Rodríguez desea que nosotros _____ (ir) a su casa a cenar.

3. Por favor, quiero que tú le _____ (dar) esto a la profesora.

4. Necesito que todos _____ (saber) que el edificio estará cerrado hoy.

5. Espero que Antonio le _____ (haber) dado los libros a Juana.

6. Carina quiere que yo _____ (ser) su madrina.

7. Espero que Miguel me _____ (dar) otra oportunidad.

8. Necesito que tú _____ (ir) a la tienda a comprar cereales.

B. *Tell what each person wants the other to do. Follow the example.*

Modelo: Miguel: ¡Estate quieto!
Miguel quiere que te estés quieto.

1. Rosa: Sé más paciente con tu hermana. _____

   _____

2. Fernando: Vé a la oficina del director. _____

   _____

3. David: Vé a buscar a Maribel. _____

   _____

4. Daniel: Dale las gracias a Samuel. _____

   _____

5. Marisol: Sé un poco más educado. _____

   _____

III. El subjuntivo: con expresiones de emoción

Write the correct subjunctive form of the verbs in parentheses.

1. Me alegro de que tú _____ (haber) ganado el concurso.

2. Ojalá que siempre _____ (estar) feliz.

3. Siento que no te _____ (poder) quedar.

4. Lamento que su padre _____ (tener) dolor de cabeza.

5. No me gusta que ustedes _____ (ir) a la casa de Juan.

6. Los profesores se quejan de que nosotros _____ (hacer) ruido.

7. Tengo miedo de que los ladrones _____ (venir) a nuestra casa.

8. Temo que _____ (ser) imposible volver a esa casa.

11-2 Un testimonio▲▲▲▲▲▲▲▲▲▲▲▲▲▲▲▲▲▲▲▲▲▲▲▲▲▲▲▲▲▲▲▲▲

I. Vocabulario

Fill in the blanks below with appropriate vocabulary terms.

1. Todos los hombres están condenados a causa del _____.

2. Es por eso que todos necesitamos la _____.

3. Es sólo por la _____ de Dios que somos salvos del _____.

4. Uno debe recibir la salvación por _____ en la obra de Cristo.

5. Con una actitud de humildad, yo _____ cuando oro a Dios.

6. Debo _____ de Cristo a mis amigos que no son salvos.

7. Dios quiere que todos _____ y _____ a Él.

8. Dios es santo; Él no quiere que sus hijos _____.

9. Cuando tenemos dudas debemos _____ en Dios; Él nos da _____.

10. La Iglesia Bíblica de Minas mandó un equipo para _____ la ciudad.

II. El subjuntivo vs. el infinitivo

Decide whether each verb in the following sentences needs to be in the infinitive or the subjunctive form. Fill in each blank with the correct form.

1. Siento mucho que ellos no _____ (venir) a la fiesta.

2. Me alegro de _____ (estar) aquí con ustedes.

3. Me molesta que todos _____ (ir) a buscar a Rodrigo.

4. Lamento no _____ (poder) ayudarte.

5. Temo que se _____ (caer) el jarrón.

6. Tengo miedo de _____ (volver) a ese sitio.

7. Me alegro de que ellos _____ (saber) hablar español.

8. A Antonio le gusta _____ (jugar) al fútbol.

III. El subjuntivo: con expresiones de duda

A. *Complete the following sentences using expressions of doubt or denial and the subjects and verbs provided in parentheses.*

1. _____ (nosotros / ir) a Chile este verano.

2. _____ (mi madre / poder) venir con nosotros.

3. _____ (yo / ayudar) a mi padre en su trabajo.

4. _____ (haber) problemas en la atmósfera.

5. _____ (el día de escuela / acabar) temprano.

6. _____ (mis tíos / venir) para la Navidad.

7. _____ (esos pantalones / ser) tan caros.

8. _____ (Teresa / haber) dicho una mentira.

B. *Using expressions of doubt or denial, write sentences for the information given. The verbs must be in the subjunctive mood.*

Modelo: Marcos / llegar tarde
Dudo que Marcos llegue tarde.

1. yo / comprar un auto nuevo _____

_____

2. Ester / aceptar la invitación a la fiesta _____

_____

3. Miguel / aprender los versículos de memoria _____

_____

4. Darío / decir los versículos de memoria _____

_____

5. su hermano / trabajar tanto _____

_____

6. ella / escribir dos libros en seis meses _____

_____

7. yo / cortar el césped _____

_____

8. yo / pelear con mi hermano _____

_____

IV. El subjuntivo: con expresiones impersonales

A. *Fill in the blanks below using as many impersonal expressions as possible. You may make them negative where appropriate.*

1. _____ que aprovechemos el tiempo en la escuela.

2. _____ que ustedes estudien otras culturas e idiomas.

3. _____ que te preocupes por tu estatura.

4. _____ que a Tito le guste la aritmética porque le encanta la ciencia.

5. _____ que ellas saquen buenas notas en el examen.

6. _____ que yo trabaje tanto y reciba tan poco dinero.

7. _____ que haya personas que van al infierno.

8. _____ que Juan haga su tarea cada noche.

B. *Fill in the blanks with the subjunctive form of the verbs in parentheses.*

1. Es increíble que Rocío me _____ (decir) que le gusta mi corbata.

2. Es triste que tú no _____ (aprobar) el examen.

3. Es natural que a Pablo Martín le _____ (gustar) el helado.

4. Es malo que Tito y Pepe no _____ (compartir) con sus hermanos.

5. Es ridículo que _____ (estar) todos aquí.

6. Es necesario que Elena y yo _____ (conocer) a otras personas.

7. Me sorprende que _____ (haber) sólo una persona de México aquí.

8. Es importante que nosotros _____ (comer) tres veces al día.

C. ***Rewrite each sentence below using an impersonal expression that has the same meaning as the original expression.***

1. Es razonable que los estudiantes estudien. _____

_____

2. Es malo que los amigos peleen. _____

_____

3. Es indispensable que se preparen para el examen. _____

_____

4. Es increíble que Noemí y Jaime se gusten. _____

_____

5. Es lógico que esta tarea sea fácil. _____

_____

11-3 Testificando ▲▲▲▲▲▲▲▲▲▲▲▲▲▲▲▲▲▲▲▲▲▲▲▲▲▲▲▲▲▲▲▲▲▲▲▲▲▲

I. Vocabulario

Fill in the blanks in the following Bible verses. You may refer to the dialogue on page 294 of the textbook for help.

Romanos 3:23

Por cuanto todos _____ y están _____ de la _____ de Dios.

Romanos 5:8

Mas Dios muestra su _____ para con nosotros en que siendo aún _____, Cristo murió por _____.

II. El subjuntivo: después de ciertas conjunciones

A. *Complete the following sentences using the most appropriate of the following conjunctions:* con la condición de que, en caso de que, para que.

Modelo: Iré a la fiesta con la condición de que esté Daniel.

1. Me pondré el abrigo antes de salir _____ haga frío.

2. Llevaré bastante postre _____ todos engorden mucho.

3. Cantaré en la reunión _____ tú cantes conmigo.

4. Te escribiré una carta _____ tú escribas primero.

5. Caminaré con ustedes hasta la puerta _____ no vayan solas.

6. Compraré más comida _____ venga más gente.

7. Tocaré el piano _____ me dejen ver la música.

8. Llamaré al doctor _____ venga a ver al enfermo.

B. *Underline the conjunction that best communicates the meaning of each sentence and write the subjunctive form of each verb in parentheses.*

1. Tengo que llamar a Luis (para que / en caso de que) _____ (venir) a verme.

2. Iré a tu casa (con la condición de que / antes de que) _____ (llegar) Miguel.

3. Leeré el libro hoy (para que / en caso de que) mañana no _____ (poder) ir a la biblioteca.

4. Me quedaré aquí (con tal de que / antes de que) me _____ (permitir).

5. Te esperaré (con la condición de que / a menos que) me _____ (avisar) de lo contrario.

6. Te ayudaré a limpiar (en caso de que / para que) _____ (terminar) temprano.

7. Ven a la clase (a menos que / antes de que) _____ (ser) las ocho.

8. Cómete la comida (para que / con la condición de que) te _____ (hacer) fuerte.

C. *Underline the conjunctions in the following sentences. Fill in the blanks with the subjunctive form of the verbs in parentheses.*

1. Iré a España con la condición de que _____ (venir) conmigo.

2. Compraré mucha comida en caso de que todos _____ (querer) repetir.

3. Llegaré temprano a menos que _____ (haber) mucho tráfico.

4. Enviaré la carta antes de que tú _____ (llegar).

5. Oraré por ti para que _____ (mejorarse).

6. Iré al banquete con tal de que me _____ (invitar).

7. Leeremos los libros antes de que los _____ (devolver).

8. Cantaremos todos juntos a menos que alguien _____ (estar) enfermo.

III. Por + infinitivo

Complete the following sentences using a form of por *+ an infinitive.*

1. Gabriel está enfermo _____ el abrigo.

2. Diana tiene dolor de muelas _____ demasiados dulces.

3. Andrés está triste _____ a sus padres.

4. Raquel no irá a la fiesta _____ la tarea.

5. Tomás no aprobó el examen _____.

6. David ganó el concurso _____ el más simpático.

Capítulo Doce

12-1 Las misiones ▲▲

I. Vocabulario

A. *If you would like to visit the jungles of Colombia, as the youth group in the dialogue would, you should know jungle vocabulary. Let's see how well you do. Fill in the blanks below with appropriate vocabulary terms.*

1. La _____ es un lugar con árboles y animales salvajes.

2. Una cama que se cuelga de los árboles es una _____.

3. Cuando llueve la tierra se convierte en _____.

4. Para cruzar un río en la selva se necesita una _____.

5. Para hacer un fuego se necesita _____.

6. *Serpiente* es otro nombre para una _____.

B. *Fill in the blanks in the paragraph below with appropriate vocabulary terms.*

Esteban David, el hijo de unos misioneros, vino a hablarnos de sus aventuras en las

_____ colombianas. Él nos contó muchas cosas interesantes acerca de su vida

allí. Nos dijo que es muy importante que un misionero se identifique con la gente que

Dios le envió a servir y ganar para Cristo. En la selva Esteban vive como viven los

indígenas—en una casa hecha de _____ y _____ con un techo de

hojas de _____. Cada noche, mientras se duerme en una _____

colgada del techo, él puede oír los sonidos de los animales salvajes. También nos

describió cómo se cocina sobre _____ en el centro de la casa. ¡Dijo que uno

de sus platos favoritos es la carne de _____! Esteban gasta muchas horas

viajando en _____ por el río con los indígenas para hablarles de la salvación

en Cristo. Al escucharlo hablar, nos dimos cuenta de que Esteban siente el amor de Dios

por sus amigos colombianos.

II. El subjuntivo y el indicativo después de ciertas conjunciones de tiempo

A. *You have many reasons for not doing anything today! Use the elements provided to write sentences telling what you simply refuse to do.*

    Modelo: jugar / mientras / estar lloviendo
        No jugaré mientras esté lloviendo.

1. hablar / hasta que / venir el profesor _____

    _____

2. limpiar / después de que / ensuciar los otros _____

    _____

3. ayudar / mientras / haber gente en la sala _____

_____

4. comer / hasta que / estar todos aquí _____

_____

5. escuchar / cuando / hablar tú _____

_____

B. *Complete the following sentences with the subjunctive form of the verbs in parentheses.*

1. No iré a la universidad hasta que (yo / terminar la escuela) _____

_____

2. Cantaré en el coro siempre que (el profesor / pedirlo) _____

_____

3. Escribiré una carta tan pronto como (yo / saber la dirección) _____

_____

4. Vendrán a mi casa una vez que (ellos / haber terminado) _____

_____

5. Haré la tarea después de que (yo / descansar un poco) _____

_____

6. Buscaré el anillo hasta que (yo / encontrar) _____

_____

7. Prepararé la ensalada cuando (ser la hora de comer) _____

_____

8. Compraré el libro mientras (estar en venta especial) _____

_____

C. *Fill in the blanks below with verbs in the indicative or subjunctive mood as appropriate.*

1. Cuando Susana viajó a Chile el año pasado, _____ (pasar) por Perú.

2. Daniel mantiene la puerta abierta mientras sus amigos _____ (entrar).

3. Angélica me avisará cuando _____ (tener) alguna noticia.

4. Iré a comprar el pasaje tan pronto como _____ (poder).

5. Una vez que _____ (tener) el permiso oficial para salir, me iré.

6. Después de que pagué las cuentas, yo _____ (volver) a mi casa.

III. El subjuntivo con antecedentes indefinidos o hipotéticos

A. *Follow up each statement with a request for specific details according to the cues in parentheses. Use verbs in the subjunctive mood.*

Modelo: Quiero comprar un automóvil. (muy rápido)
¿Quieres uno que sea muy rápido?

1. Tenemos unos libros que hablan de guerras famosas. (la guerra civil) _____

   _____

2. Quiero un reloj. (con alarma) _____

   _____

3. Me gustaría comprar un perro. (negro) _____

   _____

4. Tengo muchos calcetines. (hechos de lana) _____

   _____

5. Quiero un mapa mundial. (con montañas y ríos) _____

   _____

6. Tenemos varios tipos de camas. (doble) _____

   _____

7. Quiero una camiseta. (hecha de algodón) _____

   _____

8. Roberto tiene muchos pájaros. (cantar y hablar) _____

   _____

B. **Complete the following sentences using the relative pronoun** que **and a verb in the subjunctive mood.**

   Modelo: Estoy buscando un vestido *que tenga flores rojas.*

   1. Necesito una amiga _____

   2. Estoy buscando un reloj _____

   3. Quiero comprar un piano _____

   4. Quiero tener un animal _____

   5. Se necesita una persona _____

   6. No conozco a nadie _____

   7. Me gusta comer cosas _____

   8. Es bueno ayudar a gente _____

IV. Resumen de los usos del subjuntivo

A. **Write sentences in Spanish that communicate the messages given in English.**

   Modelo: Tell Laura that the teacher wants her to study for the test.
   Laura, el profesor quiere que estudies para el examen.

   1. Tell Víctor that you need him to buy the book: _____

   _____

   2. Tell Enrique that you want him to go to the concert: _____

   _____

3. Tell María that the meeting will start as soon as Juan comes: _____

_____

4. Tell Lorena that you do not like her to be like that: _____

_____

5. Tell Irene that you doubt that Pedro knows the verse: _____

_____

6. Tell Ismael that the boys want a car that has five doors: _____

_____

7. Tell José that you will come as long as he brings the food: _____

_____

8. Tell Rosa that it is not good that she walk alone at night: _____

_____

B. *Fill in the blanks in the following paragraph with appropriate forms of the verbs in parentheses. Use the indicative, present subjunctive, and infinitive forms as needed.*

Los jóvenes de mi iglesia _____ (querer) planear un día de campo. Yo dudo que lo _____ (hacer). Parece que nadie _____ (poder) planear. Es posible que Julián se _____ (encargar) de los planes, o puede ser que Roberto lo _____ (hacer). Cuando ellos _____ (pedir) voluntarios para _____ (preparar) la comida, yo me voy a _____ (ofrecer) como voluntaria. El pastor dice que es necesario que todos _____ (ayudar). Me alegro de que él y su esposa _____ (venir) con nosotros. Ella nos dice que _____ (venir) con tal de que nosotros _____ (volver) temprano.

V. Vocabulario adicional

***Write sentences with the opposite meaning. Avoid using the word* no.**

1. Es justo que tengamos tres exámenes en un día. _____

_____

2. Es legal manejar un auto de noche con las luces apagadas. _____

_____

3. Mi hermanito es muy quieto y tranquilo. _____

_____

4. Es posible terminar el libro en un día. _____

_____

5. Es conveniente que hablemos con el director. _____

_____

6. La visita de mis abuelos fue esperada. _____

_____

12-2 El nuevo nacimiento ▲▲▲▲▲▲▲▲▲▲▲▲▲▲▲▲▲▲▲▲▲▲▲▲▲▲

I. Vocabulario

Fill in the blanks in the following Scripture passage with appropriate forms of the verbs in parentheses. Use the infinitive, present, preterite, imperfect, imperative, and present subjunctive forms as needed.

_____ (haber) un hombre de los fariseos que se _____ (llamar) Nicodemo, un principal entre los judíos. Este _____ (venir) a Jesús de noche, y le dijo: Rabí, sabemos que has venido de Dios como maestro; porque nadie puede hacer estas señales que tú _____ (hacer), si no _____ (estar) Dios con él. _____ (responder) Jesús y le dijo: De cierto, de cierto te digo, que el que no naciere de nuevo, no puede _____ (ver) el reino de Dios. Nicodemo le dijo: ¿Cómo _____ (poder) un hombre nacer siendo viejo? ¿Puede acaso entrar por segunda vez en el vientre de su madre, y _____ (nacer)? Respondió Jesús: De cierto, de cierto te _____ (decir), que el que no naciere de agua y del Espíritu, no puede entrar en el reino de Dios. Lo que es nacido de la carne, carne es; y lo que es nacido del Espíritu, espíritu es. No te _____ (maravillar) de que te dije: Os es necesario nacer de nuevo.

II. El imperfecto del subjuntivo

A. *Fill in the blanks with the imperfect subjunctive form of the verbs in parentheses.*

1. Fue un milagro que ellos _____ (encontrar) al niño.
2. El doctor le dijo a Verónica que _____ (comer) muchas verduras.
3. Carmen quería que Paco la _____ (invitar) al banquete.
4. Carolina les pidió a las chicas que _____ (llegar) a tiempo al ensayo.
5. El profesor nos dijo que _____ (estudiar) para el examen.
6. Bernardo se alegró de que yo le _____ (llamar).
7. Pablo les dijo que _____ (traer) sus libros.
8. Gerardo quería que Ricardo _____ (comprar) las bebidas.

B. *Underline the correct verb form in each of the following sentences.*

1. Rosana quiere que yo (vaya / fuera) a la tienda con ella.
2. Lorenzo les dijo que (traigan / trajeran) dinero.
3. Ana María se alegró de que Mónica (venga / viniera) a la reunión.
4. Fue necesario que la policía (ayude / ayudara).
5. Es bueno que los novios (hablen / hablaran) mucho.
6. Pepe hizo que su equipo (pierda / perdiera) el partido.
7. Me gustaría que (vengas / vinieras) a nuestra casa.
8. No es prudente que ustedes (estén / estuvieran) solos.

C. *Write the appropriate subjunctive form of the verbs in parentheses.*

1. Es imposible que Julián _____ (ir) al servicio militar.

2. No necesitábamos que tú _____ (venir) tan rápido.

3. Fernando estaba esperando que _____ (llegar) el autobús.

4. Elena quiere que ustedes _____ (volver) a su casa.

5. Era necesario que ellos _____ (entender) el programa.

6. Yo le dije a David que _____ (traer) su trombón.

III. El subjuntivo después de si

A. *Fill in the blanks with the conditional or the subjunctive form of the verbs in parentheses as appropriate.*

1. Si hoy fuera domingo, _____ (ir) a la iglesia.

2. Si Julián _____ (tener) tiempo, jugaría al baloncesto.

3. Felipe _____ (comprar) una camisa si tuviera suficiente dinero.

4. José Manuel hablaría francés si _____ (estar) en Haití.

5. Si _____ (poder) ir a Madrid, visitaría El Escorial.

6. Si yo tuviera una casa en la playa, te _____ (invitar) a pasear.

7. Si tú _____ (saber) tocar el piano, podrías enseñarme.

8. David se _____ (casar) con su novia mañana si pudiera.

B. *The following sentences contain the word* **si**. *Differentiate between the* **si** *that belongs to a conditional clause and the* **si** *that does not. Write the correct form of each verb. You may use the future tense, imperfect indicative tense, or subjunctive mood as appropriate.*

1. Maribel no sabe si Rosa _____ (venir).

2. Joaquín compraría la casa si _____ (tener) dinero.

3. Si _____ (saber) su dirección iría a visitarle.

4. Si _____ (poder), te invitaría al partido de fútbol.

5. Dime si _____ (pensar) venir.

6. Tomás dice que jugaría al fútbol si _____ (encontrar) el balón.

7. Me pregunto si sus amigos _____ (jugar) con él.

8. Si _____ (hablar) más fuerte todos lo escucharían.